LES MONDES D'EWILAN

LES MONDES D'EWILAN

L'ŒIL D'OTOLEP

Pierre Bottero

RAGEOT · ÉDITEUR

Illustrations : Jean-Louis Thouard
Suivi éditorial : Florence Rech et Guylain Desnoues

ISBN 2-7002-2987-8

Lettre de Sil' Afian, Empereur de Gwendalavir, à Hander Til' Illan, Seigneur des Marches du Nord.

Cher et noble ami,

Pouvez-vous imaginer l'amertume qui m'étreint alors que ma plume se pose sur cette feuille pour vous annoncer que la visite que j'envisageais, et dont nous nous réjouissions tous deux, n'aura pas lieu ? Permettez que je vous expose les raisons de ce revirement, certes regrettable, mais qu'en homme d'État aguerri vous comprendrez aisément.

La joie que nous a apportée la victoire contre les Raïs aura été de courte durée. Nous savions qu'Éléa Ril' Morienval était vivante, nous ignorions qu'elle poursuivait ses manigances et n'avait en rien renoncé à ses visées sur l'Empire. J'ai appris bien tard qu'elle projetait d'adapter la technologie de l'autre monde à Gwendalavir, afin de rendre ses armes opérantes dans notre univers. Nul doute que, si elle y était parvenue, le courage de nos légions eût été mis à rude épreuve.

La jeune Ewilan Gil' Sayan a une nouvelle fois sauvé l'Empire. Elle a découvert le complot et réussi à le conjurer au péril de sa vie. Cet exploit n'a toutefois été possible que grâce à l'intervention d'Edwin et de Siam, épaulés par quelques vaillants compagnons. Votre lignée, à son habitude, vous a fait honneur.

Éléa Ril' Morienval s'étant soustraite à son châtiment, elle va certainement renouveler ses tentatives. Une coopération avec l'autre monde devient donc indispensable. L'époque s'achève où nous pouvions prétendre à l'isolement et au secret. Les récents événements, vous vous en doutez, auraient suffi à m'ôter toute possibilité de quitter Al-Jeit mais la situation est plus complexe encore.

La félonne avait entrepris d'utiliser les compétences des chercheurs de l'autre monde pour étudier l'Art du Dessin sous une lumière différente. Je frémis à l'idée de ce qui se serait passé si elle avait trouvé le moyen de contrer le pouvoir de nos dessinateurs tout en accroissant le sien... Elle n'a pas hésité à torturer des enfants extra-alaviriens possesseurs d'étonnantes facultés psychiques pour comprendre le fonctionnement de leur cerveau. Tombée entre ses mains, Ewilan a failli y laisser la vie. Ce plan machiavélique a heureusement échoué. Ewilan est revenue saine et sauve, accompagnée d'un jeune garçon originaire de notre monde qu'elle a tiré des griffes d'Éléa Ril' Morienval.

Or Illian, tel est son nom, n'est pas alavirien. Il affirme avoir été enlevé chez lui à Valingaï, une cité qu'il situe de l'autre côté de la mer des Brumes, à l'Est de l'Empire. Les habitants de cet hypothétique royaume seraient dotés de pouvoirs psychiques rivalisant avec ceux de nos plus puissants dessinateurs !

Nous pensions être les seuls descendants des hommes qui ont fait le Grand Pas il y a trente siècles. Cette certitude, déjà ébranlée par les révélations d'Éléa Ril' Morienval, est en passe de s'effondrer. J'éprouve de ce fait la plus vive inquiétude pour Altan et Élicia, les parents d'Ewilan, partis explorer il y a quelques mois les confins du désert Ourou, et dont nous sommes toujours sans nouvelles.

Je projette d'envoyer une délégation avec une triple mission : ramener Illian chez lui, rejoindre les membres de la première expédition et, le cas échéant, établir des relations diplomatiques avec les dirigeants de Valingaï. Edwin conduira cette ambassade et je ne manquerai pas de vous informer de l'évolution de la situation.

Gwendalavir est loin d'être le havre de paix auquel nous aspirons, vous et moi ! Nul, toutefois, ne pourra contester les efforts que nous déployons pour atteindre cet objectif et c'est l'âme sereine qu'un jour, proche je l'espère, nous pourrons nous retrouver.

Je m'autorise à faire fi du protocole et conclus cette missive en vous adressant mes sentiments que, sans crainte, je qualifie de filiaux.

Sil' Afian, Empereur.

L'AUTRE MONDE

île des Nimurdes

SEPTENTRION DES GÉANTS

OCÉAN DE GLACES

ROYAUME RAÏS

MER DES BRUMES

KUR N'RAÏ

Marais d'Ankaï

Forêt Maison des Petits

Frontières de Glace

L'Œil d'Otolep

CHAÎNE DU POLL

o Citadelle des Frontaliers

AL-POLL

Plaine de Shaak

Sirum Jil

PLATEAUX D'ASTARIUL

o Tintiane

o Al-Far

GWENDALAVIR

la Vive Ombre

forêt Ombreuse

LAC CHEN

GOUR

Montagnes de l'Est

Loutaubre

JUNGLE D'HULM

Grande Faille

Forêt de Barail

Collines de Taj

plateaux de l'Est AL-CHEN

PAYS FAEL

o Illuin

Ondiane

o Al-Vor

Grandes Plaines

Dentelle

Passe de la Goule

Collines d'Ombre

Fériane

L'Arche

o AL-JEIT

Tolfuse

DÉSERT DES MURMURES

GRAND OCÉAN DU SUD

Archipel Alines

N

50 Km

L'ACADÉMIE

1

Un des paradoxes des marchombres, et non des moindres, réside dans le contraste entre notre individualisme viscéral et l'organisation exemplaire de notre guilde.

Ellundril Chariakin, chevaucheuse de brume

La lame siffla à moins de dix centimètres du visage de Salim avant de revenir vers sa gorge en un arc de cercle scintillant. Il n'évita le coup mortel qu'en plongeant à terre. Il se releva d'un bond et lança un regard éperdu autour de lui.

Ellana se tenait adossée à un mur, observant la scène avec intérêt. Elle haussa un sourcil et esquissa une moue désapprobatrice lorsque l'adversaire de Salim, un escogriffe hirsute, se jeta sur lui, bras tendu, lame pointée à la hauteur de son estomac.

Alors que tout son être lui hurlait de prendre la fuite, Salim se contraignit à rester immobile. Mâchoires crispées, il attendit la dernière seconde, pivota, abattit le tranchant de sa main sur le poignet de l'homme qui poussa un grognement de douleur et rompit d'un pas.

– Quel manque d'élégance ! commenta Ellana. Et d'efficacité. Ce maigrichon est toujours armé, non ?

– Il veut me tuer, haleta Salim. Pourquoi ne...

– Tu pourrais accélérer s'il te plaît ? Il est bientôt minuit, il nous reste une multitude de choses à faire et je commence à avoir sommeil !

Salim écarquilla les yeux, déjà l'homme revenait à l'attaque. Il porta une série de coups d'estoc que Salim n'évita qu'à grand-peine puis sabra l'air à plusieurs reprises, obligeant le garçon à reculer jusqu'à ce qu'il se retrouve dos au mur.

– Pas très malin, railla Ellana.

Malgré la fraîcheur de la nuit, un filet de sueur emperlait le front de Salim. La ruelle était étroite, tortueuse, mal éclairée, un véritable coupe-gorge dans lequel la marchombre l'avait précipité quelques minutes plus tôt.

Volontairement.

Et elle était décidée à ne pas intervenir puisqu'il était censé être capable de se tirer seul de ce genre de situation.

« *Fluidité et harmonie. Un marchombre ne recule jamais devant un adversaire, il entre dans son cercle, lui vole son centre, devient maître de sa force et de son équilibre. Un marchombre est eau devant le feu, feu devant le froid, vent devant le fort, fort devant le faible.* »

Des sentences limpides quand il les entendait, faciles à répéter, en prenant de préférence un air bravache et...

... totalement impossibles à mettre en œuvre.

Le plus rageant était qu'il avait conscience de ses capacités et du fait qu'il aurait dû se débarrasser sans peine de ce tire-bourse certainement éméché.

Depuis leur retour de l'autre monde, trois semaines plus tôt, Ellana avait repris sa formation en mettant les bouchées doubles, non, triples. Comme si elle se reprochait les dangers qu'il avait courus lorsqu'il cherchait à secourir Ewilan. Son manque de préparation. Ses erreurs. Elle lui avait concocté un programme d'entraînement qui le laissait épuisé à la fin de chaque journée mais qui avait porté des fruits rapides et impressionnants. Son corps, déjà marqué par l'empreinte de la marchombre, s'était musclé tout en s'affinant. Il avait gagné en souplesse, en tonicité, et maîtrisait désormais des techniques de combat rapproché qu'il avait longtemps cru réservées aux héros des films d'arts martiaux.

Et il allait mourir au fond de cette ruelle ! Sous les yeux de son professeur ! Égorgé ! À moins qu'il ne parvienne à se détendre, à retrouver un état d'esprit positif.

– Voilà qui est mieux !

Le commentaire d'Ellana précéda d'une seconde la prise de conscience de Salim. Quelque chose naissait en lui ! Comme un mécanisme qui, d'abord grippé, acceptait enfin de se déclencher...

Il fléchit les jambes, redressa la tête, pivota légèrement pour se placer de profil. Sa respiration s'apaisa, ses mains s'ouvrirent. Son adversaire, croyant discerner là une faiblesse, plaça un nouveau coup d'estoc.

Le mouvement du poignard parut soudain lent et maladroit à Salim. Il n'éprouva aucune difficulté à se glisser le long du bras tendu, son ventre passant à un millimètre de la lame qui aurait pu tout aussi bien se trouver à dix mètres tant elle était incapable de le blesser.

Son poing se ferma au moment où il percutait les côtes de l'homme qui poussa un cri étouffé. Déjà Salim était dans son dos. Ses mains se posèrent délicatement sur les épaules de son adversaire et il l'entraîna dans un irrésistible mouvement tournant qu'il conclut en pliant les genoux.

L'homme sentit le sol se dérober sous ses pieds. Incapable de conserver son équilibre, il tomba lourdement et sa tête percuta le sol avec un bruit sourd. D'une clef au poignet qui s'acheva par un craquement sec, Salim le délesta de son arme avant de se redresser. Comme Ellana le lui avait enseigné, il s'assura qu'il était hors de combat, inspira profondément et se tourna vers elle.

– Inconscient et désarmé, ça te convient ?

– Tu aurais pu éviter de lui briser le poignet, remarqua la marchombre. Ce gars n'est après tout qu'un honnête assassin qui faisait son boulot.

– Il a failli m'éventrer ! s'emporta Salim. Honnêtement peut-être, mais avec assez d'enthousiasme pour que j'en perde le sens de l'humour !

– Il ne s'agit pas d'humour mais de professionnalisme, corrigea Ellana d'un ton ferme. C'est une leçon élémentaire. Si tu te figures que la guilde accepte les dilettantes aux gestes approximatifs, tu te leurres ! Peut-être vaut-il mieux que tu retournes jouer aux billes, ce sera moins risqué.

La tirade porta l'exaspération de Salim à son comble. Il planta les mains sur ses hanches et considéra la marchombre avec hargne.

– Je te rappelle que, sans toi, je serais tranquillement en train de dormir au fond de mon lit ! Tu m'as conduit dans un traquenard, soi-disant pour me tester, tu m'as laissé me débrouiller seul, tu t'es contentée d'assister au massacre. Je t'estime aussi responsable que moi du poignet cassé de cet énergumène. N'oublie pas que j'ai failli me faire trouer la peau, alors n'exagère pas et... qu'est-ce que tu fiches ?

Ellana, un grand sourire aux lèvres, s'était approchée de lui et du bout du doigt avait appuyé sur sa poitrine. Le garçon, surpris, fit un pas en arrière, trébucha sur le corps de l'homme toujours étendu à terre, battit des bras et perdit l'équilibre. Il se reçut sur les fesses en poussant un chapelet de jurons qu'Ellana interrompit ironiquement.

– Leçon numéro deux, monsieur le futur marchombre. Ne jamais perdre son sang-froid !

Salim hésita une seconde entre la colère et le rire puis, lorsque Ellana lui tendit une main secourable, le rire l'emporta. Aidé par la jeune femme, il se leva, un immense sourire fendant son visage.

– Ça roule ! lança-t-il. Mais tu ne me surprendras plus avec ce genre de ruses !

Il savait, comme elle, que c'était faux, pourtant il s'en moquait éperdument. Il était heureux. Jour après jour il se transformait en marchombre...

... et dans quelques heures il avait rendez-vous avec Ewilan.

2

*De prétendus spécialistes affirment que les Spires ne sont
réellement accessibles qu'à partir de Gwendalavir. Les sots!
Qu'ils gagnent donc l'Œil d'Otolep et reviennent avec un vrai
savoir!*

Elis Mil' Truif, maître dessinateur à l'Académie d'Al-Jeit

Un souffle tiède balaya les rêves d'Ewilan.

Elle ouvrit les yeux.

Sa chambre baignait dans la douce clarté diffusée
par une fontaine placée juste sous sa fenêtre et dont
l'eau luisait d'une lueur bleutée rassurante. Au
plafond, une myriade de formes luminescentes
reproduisaient avec une extraordinaire fidélité les
volutes de la voûte céleste tandis que, de temps à
autre, une étoile filante, générée par l'art du dessinateur qui avait créé les lieux, traversait la pièce en
une harmonieuse parabole.

Ewilan posa ses pieds nus sur l'épais tapis qui
s'étalait au sol.

Avant même de savoir ce qui l'avait éveillée, elle
passa une main dans le désordre de mèches folles

qui lui tenait lieu de chevelure alors que l'autre descendait sur son ventre. Geste familier, intime, elle caressa au travers de sa chemise de nuit l'imperceptible relief de la cicatrice qui lui barrait l'abdomen.

L'Institution ! Lieu de tous les cauchemars.

Elle avait failli y laisser la raison.

La vie.

Salim l'en avait tirée alors qu'elle allait succomber aux abominations perpétrées par Éléa Ril' Morienval. Détruite physiquement, laminée mentalement, elle avait mis des mois pour se reconstruire. Des mois de supplice. Des mois passés à se battre contre des démons invisibles jusqu'à ce qu'elle parvienne à prendre le dessus. Victoire aux allures de miracle...

Elle était désormais guérie et, si elle était encore maigre, presque émaciée, la balafre qui zigzaguait sous ses côtes demeurait le seul véritable témoignage des souffrances qu'elle avait endurées.

Elle inspira profondément. Ce n'était pas la sensation de brûlure se dégageant parfois de sa cicatrice qui l'avait éveillée. Cette douleur diffuse ne l'inquiétait pas suffisamment pour qu'elle consulte un médecin ou un rêveur, et ne l'avait jamais gênée au point de la tirer du sommeil.

Non, c'était autre chose. Un effleurement mental à la limite du perceptible, comme un appel étouffé par la distance, une tentative de la joindre ou d'attirer son attention.

Ewilan se coula dans les Spires, goûtant l'harmonie des chemins qui s'entrelaçaient autour d'elle, se délectant de l'infinité des possibles qui s'ouvraient à son vouloir, tous parfaits d'équilibre. Elle ne découvrit nulle part d'écho de la sensation qui l'avait alertée.

Il y avait pourtant eu quelque chose, beaucoup plus précis qu'un songe ou une prémonition. Peut-être serait-elle plus réceptive sous la coupole ?

Elle caressa l'idée de dessiner une flamme pour se diriger puis renonça. Elle y voyait suffisamment et la pénombre qui régnait dans la maison déserte distillait une onde de quiétude qu'elle n'avait pas envie de troubler. Elle se leva et se glissa hors de sa chambre.

La demeure de la famille Gil' Sayan était vaste, construite en étoile autour d'une pièce à vivre dont le plafond formait un immense dôme translucide. Elle se situait au sommet d'une des plus hautes tours d'Al-Jeit et, bien que la capitale fût illuminée la nuit par des cascades de lumières étincelantes, l'infinité stellaire était visible de l'intérieur. Ewilan se campa sous la coupole...

Chacune des fibres de son âme se souvenait de l'intrusion d'Illian dans l'Imagination. Le garçon avait foncé, irrésistible, destructeur, tout entier concentré sur son objectif, ne se préoccupant pas des miracles de beauté qu'il écrasait sur son passage. Insensible, non, aveugle. Inconscient !

Cette expérience avait bouleversé Ewilan. Elle s'était rendu compte, à cette occasion, combien son approche de l'Imagination divergeait de celle du jeune Valinguite et, une fois passée une période de désarroi, elle avait utilisé cette prise de conscience pour affiner son pouvoir. Une seule chose comptait désormais : dessiner. À la perfection !

Elle avait repris ses cours à l'Académie dès qu'elle avait regagné Gwendalavir, sidérant ses professeurs par sa maîtrise du Don et la profondeur de sa réflexion. Les maîtres dessinateurs d'Al-Jeit savaient depuis longtemps qu'elle les surpassait ; ils commençaient juste à comprendre à quel point...

Ewilan effleura du bout des doigts le dossier d'un fauteuil de cuir et, les yeux levés vers les étoiles, s'immergea à nouveau dans l'Imagination. Quelques minutes à arpenter les Spires puis la sensation revint, fugace. Il s'agissait de toute évidence d'un message mais lorsque Ewilan tendit sa volonté pour s'en emparer, il se délita. Les mots qu'il transportait se dissipèrent au contact de son pouvoir comme se serait désagrégé un délicat parchemin sous l'assaut d'une tempête. Seule une phrase résista assez longtemps pour qu'elle la déchiffre : « *Attention, l'amour arrive !* »

Malgré tous ses efforts, Ewilan ne put en découvrir davantage. Les Spires demeuraient vides et ne conservaient aucune trace d'une tentative de communication, encore moins du contenu d'un message dont elle se demanda tout à coup s'il ne s'agissait pas d'un rêve. Elle sourit en quittant l'Imagination. Rêve ou pas, l'avertissement qu'elle venait de recevoir n'était pas inquiétant. Loin de là. Se pouvait-il que son auteur soit un des élèves de l'Académie désirant plaisanter ou l'impressionner ? Certains d'entre eux étaient très doués, de futures Sentinelles selon les professeurs. Un visage se dessina dans son esprit, blond, les traits ouverts, séduisant : Liven Dil' Ventin !

Étudiant, comme elle, en dernière année et de deux ans son aîné, Liven était doté d'un caractère enjoué et d'un charisme qui forçait l'attention. Dès leur première rencontre, Ewilan et lui s'étaient découvert des affinités, elle appréciant la culture du jeune homme, sa courtoisie et la manière dont il dessinait, lui sidéré par le pouvoir de sa camarade et, comme beaucoup d'autres, sous le charme de son aura et... de ses yeux violets. Ils étaient devenus amis à l'occasion d'un mémorable chahut organisé par Liven au sein de l'Académie et dont la plupart des professeurs avaient été les victimes. Il avait failli être renvoyé, elle avec lui, et ils n'avaient dû qu'à la bienveillance de leurs enseignants, et à l'intervention discrète de l'Empereur, de poursuivre leurs études.

Depuis ce jour, lorsqu'ils ne déambulaient pas dans les rues d'Al-Jeit en compagnie des autres étudiants, Ewilan et Liven passaient volontiers leur temps libre ensemble, à discuter, rire ou tirer des plans sur l'avenir. Elle lui avait évidemment parlé de Salim et il savait qu'il était de retour à Al-Jeit. C'était tout à fait son style de lui envoyer en pleine nuit un message amical teinté d'une pointe d'ironie. Son style... Ewilan se remémora le regard que Liven avait posé sur elle ces derniers jours. Un regard insistant, presque équivoque. Elle espéra soudain que, si son ami était à l'origine de ce message, c'était bien à Salim qu'il faisait allusion...

Ewilan passa la main dans ses cheveux et étouffa un bâillement. Elle se fatiguait encore très vite, avait besoin de beaucoup de sommeil et les cours débutaient tôt le matin. Il faudrait qu'elle rappelle cela à Liven puisqu'il n'était pas assez malin pour s'en rendre compte par lui-même !

Ses yeux se fermaient, elle bâilla à nouveau, pourtant elle ne se glissa pas sous sa couette mais pénétra dans une chambre voisine, une flamme ambrée dansant au bout des doigts.

Elle contempla en silence la silhouette immobile allongée sur le dos au centre du grand lit. Trois semaines qu'il était là. Trois semaines qu'il n'avait pas dit un mot, ni esquissé un mouvement. Trois semaines que les alarmes qu'elle avait dessinées près de lui restaient désespérément muettes.

Elle s'approcha jusqu'à toucher une main décharnée qui pendait, inerte, dans le vide. Elle la caressa doucement avant de la replacer sur les draps.

– Je suis là, Maniel. Continue à t'accrocher à la vie, d'accord ?

Elle ajouta dans un murmure :

– Je t'attends.

3

Il y a peu de véritables dessinateurs parmi nous. Sans doute parce que l'Art du Dessin, pour incroyable qu'il soit, fixe des limites que nous refusons.

Ellundril Chariakin, chevaucheuse de brume

– C'est impossible !

– C'est quoi ?

– Impossible.

– Salim, mon ami, une des premières choses que l'on demande à un apprenti marchombre est de bannir le mot impossible de son vocabulaire. Définitivement ! Je te l'ai déjà expliqué, non ?

– Mais…

– Encore un mot que je n'apprécie guère. Surtout lorsqu'il est prononcé par un de mes élèves !

Salim soupira bruyamment et ferma les yeux, cherchant par tous les moyens à conserver son calme. Tâche ardue ! Après les péripéties de la ruelle, Ellana l'avait entraîné dans l'escalade d'une tour immense aussi lisse qu'une plaque de verre. Ou presque. Il avait ensuite dû traverser, à la force des poignets, suspendu dans le vide, une des plus hautes passe-relles d'Al-Jeit, puis crocheter une douzaine de ser-rures alors qu'il ne sentait plus ses mains. Il était épuisé, ses muscles le faisaient souffrir, il n'aspirait qu'à dormir. Ellana lui avait généreusement accordé trois heures de sommeil avant de le réveiller au lever du jour et le faire courir jusqu'à ce qu'il demande grâce. Elle l'avait alors conduit dans cette avenue animée, devant une série de boutiques de luxe, pour la suite des réjouissances.

La marchombre lui assena une tape amicale sur l'épaule, le tirant de ses réflexions moroses.

– Récapitulons ! Tu entres dans cette bijouterie, tu dérobes le collier au cou de la statue près du comp-toir, tu sors sans te faire remarquer, sans déclencher d'alarme ou de scandale. Puis tu pénètres dans cette autre bijouterie et tu déposes le collier dans la vitrine, toujours avec une discrétion absolue.

– C'est ridicule ! s'exclama Salim.

– Encore un mot irrecevable, releva Ellana avec un sourire mi-figue mi-raisin. J'ai peur de ne pas goûter ta façon de m'adresser la parole.

– Écoute, rétorqua Salim sans se démonter, je suis désolé si je te choque mais je ne comprends pas pourquoi je dois m'escrimer à voler un bijou pour m'en débarrasser aussitôt après. Mettons que je me sois emporté en jugeant cela ridicule, tu ne peux toutefois pas nier que c'est illogique !

– Un collier d'or et de diamants. Il vaut une for-tune. Qu'en ferais-tu, toi qui es logique ?

L'amusement avait remplacé l'irritation dans la voix d'Ellana. Salim haussa les épaules.

– Je le revends et je pars en vacances au bord de l'océan. Un mois à buller, les orteils dans le sable.

– Ce serait du vol.

– Parce que les marchombres ne sont pas des voleurs peut-être ? Eh... Que fais-tu ?

Ellana avait saisi Salim par le cou et le serrait contre elle dans un irrésistible élan d'affection. Sauf que trois lames acérées avaient jailli entre les doigts de sa main droite pour se piquer dans la gorge du garçon, le contraignant à rester parfaitement immobile.

– Un marchombre n'est pas un voleur, lui murmura-t-elle à l'oreille d'une voix froide comme la mort. Je ne te le répéterai pas. Tu as compris ?

Salim hocha la tête et Ellana relâcha son étreinte. Elle recula d'un pas et sourit, sans prêter la moindre attention au filet de sang qui coulait le long du cou de son élève.

– J'ai sans doute trop insisté sur ta préparation physique et négligé tes connaissances générales, admit-elle. Nous reparlerons de tout cela lorsque tu auras rempli ta mission. Pour ta gouverne, sache que ces deux bijoutiers n'ont pas respecté leurs engagements après un travail que j'ai effectué à leur demande, l'année dernière. Ils avaient fait appel à mes services afin de convoyer jusqu'à Al-Chen suffisamment d'émeraudes pour vivre riche pendant mille ans. Les marchands alaviriens, qui n'ont pas tes stupides préjugés, engagent souvent des marchombres pour ce genre de besogne. Ce ne fut pas de tout repos mais j'ai rempli ma part du contrat. Nos amis, eux, ont oublié la leur, ce qui m'a causé pas mal d'ennuis avec ma guilde et je me suis juré qu'un jour j'exigerais des comptes. Aujourd'hui, j'ai l'occasion d'affiner ta formation en les plaçant, à leur tour, dans une situation délicate vis-à-vis de leur propre guilde. Stupide ? Illogique ?

– Tu aurais pu m'expliquer ça tranquillement au lieu de m'égorger à moitié, protesta Salim en s'essuyant le cou avec sa manche.

– Je n'égorge jamais à moitié, rétorqua Ellana avec un sourire ambigu. Tu as au moins compris ce détail, j'espère. Je vais boire un verre dans la taverne qui se trouve là-bas, de l'autre côté de la place. Rejoins-moi lorsque tu auras fini.

– Mais...

– Encore ?

– Euh... Je veux dire... Tu es certaine que je vais y arriver ?

– Je n'en sais fichtre rien !

– Quoi ? s'étrangla Salim.

Ellana secoua la tête, agacée.

– Je peux te cajoler, te rassurer, te mentir, s'il le faut, jusqu'à ce que tu débordes de confiance et puis après ? Un marchombre agit seul, avec ses compétences, son physique et son mental, sans nounou pour le préparer. C'est le prix de sa liberté. Je t'ai enseigné mon art et tu le maîtrises suffisamment pour t'en sortir, mais tu es responsable de l'utilisation que tu vas en faire. Alors cesse de bavarder. Agis !

Salim se détourna avec brusquerie et traversa l'avenue d'un pas rageur. Il avait presque atteint l'entrée de la bijouterie lorsque la voix d'Ellana s'éleva, railleuse.

– Salim.

– Oui ?

– Sois prudent !

4

L'Imagination est une dimension qui possède une frontière avec les deux mondes. Avec les deux mondes ou avec tous les mondes?
Elis Mil' Truif, maître dessinateur à l'Académie d'Al-Jeit

– Jeunes gens, vos examens de fin d'année approchent. Examens importants, cruciaux même, puisque des résultats que vous obtiendrez dépendront en partie les fonctions auxquelles vous pourrez prétendre. Nous allons donc clore ce module par un exercice calqué sur un des tests que vous passerez la semaine prochaine.

Maître Elis se leva en se frottant les mains, geste familier que des générations d'élèves connaissaient bien, et indiqua la direction de l'atelier aux sept étudiants dont il avait la charge. Tous le suivirent alors qu'il reprenait ses explications.

– Chacun de vous va se trouver face à un objet dont la forme sera plus ou moins complexe selon son niveau estimé. Il s'agira, dans un temps limité, d'en dessiner des répliques les plus nombreuses possible.

Attention toutefois à la fidélité de la copie ! Un écart entre le modèle et votre création entraînera votre élimination. Des questions ?

Le groupe venait de pénétrer dans l'atelier et les élèves se tenaient autour de leur professeur. Un étudiant, grand, les cheveux blonds retenus en catogan par un lien d'argent, leva le bras.

— Oui, Liven ?

— Comment sera appréciée la différence entre le modèle et notre dessin ?

Maître Elis se frotta les mains puis désigna un coffret d'acier brossé posé sur l'immense table qui trônait au centre de l'atelier.

— Nous nous servirons d'un des radieurs utilisés habituellement pour les examens. Ces instruments peuvent analyser dans leurs moindres détails deux objets similaires et sonnent lorsqu'ils découvrent une dissimilitude, même infime. Ces appareils complexes possèdent une structure assez similaire à celle des scintilleurs qu'emploient les analystes. Ils sont fiables mais extrêmement fragiles. Regardez.

Joignant le geste à la parole, maître Elis ouvrit le coffret avec précaution. Il en sortit un délicat assemblage de métal et de verre.

— L'Académie d'Al-Jeit dispose de quatre radieurs, deux autres se trouvent à Al-Chen et un à Al-Vor. De véritables petites merveilles. Si précieuses... J'ai entendu dire qu'un professeur, jadis, en a brisé un. De honte, le pauvre s'est donné la mort !

Tout en parlant, maître Elis vérifiait l'intégrité du radieur. Il se redressa enfin et se frotta une nouvelle fois les mains.

– Bon, passons aux choses sérieuses. Placez-vous en ligne. Voilà. Je vais faire apparaître un objet devant vous et dès qu'il aura basculé dans la réalité, vous disposerez de trois minutes pour le reproduire. Ewilan, je préférerais que vous vous installiez en bout de table à côté de Kamil. Merci. Vous êtes prêts ? On y va !

Le maître dessinateur fit un geste ample, plus par volonté de solenniser le moment que par réelle nécessité, et un objet différent surgit devant chaque étudiant.

Alors que ses camarades s'empressaient de se plonger dans les Spires, Ewilan prit le temps de jeter un œil sur les créations de maître Elis. La plus simple était sans conteste une sphère d'un noir mat apparue devant Nalio. Ce dernier avait réussi d'extrême justesse ses précédents examens et, de l'avis de tous, y compris du sien, il ne deviendrait jamais un grand dessinateur.

Les autres objets étaient plus complexes. Kamil faisait face à un tétraèdre argenté tandis qu'Ol devait reproduire une flèche de bronze et Shanira un bol de faïence. Ewilan remarqua encore un tore brillant devant Lisys avant que les premiers dessins de ses camarades ne basculent dans la réalité. Liven était de loin le plus doué. En quelques secondes, cinq répliques parfaites du ressort moiré qu'il devait imiter s'alignèrent devant lui.

Une sonnerie grêle retentit avant qu'Ewilan ne se préoccupe de son propre test. Le tétraèdre que copiait Kamil disparut et la jeune fille laissa échapper une exclamation rageuse. Elle était allée trop vite et avait omis un détail important.

L'élimination de Kamil troubla les étudiants et certains d'entre eux sortirent de l'Imagination. Ils y replongèrent immédiatement sous l'œil attentif de maître Elis. Liven n'avait pas bronché. Il avait déjà créé douze ressorts et Ewilan savait que le radieur ne trouverait aucun défaut dans son travail. Elle n'avait pas encore eu le temps de lui parler de son message nocturne et elle sourit en imaginant sa réaction si elle le dérangeait maintenant pour le faire. Liven possédait certes de nombreuses qualités mais il avait aussi quelques défauts dont un effroyable caractère quand il perdait...

Elle baissa enfin les yeux sur l'objet que maître Elis avait créé pour elle. Son souffle s'accéléra lorsqu'elle découvrit une merveilleuse rose de cristal ciselée dans ses moindres détails. La fleur était parfaite, ses pétales s'enroulaient autour du cœur d'une finesse exquise et ses feuilles offraient un réseau de fines nervures. Une fleur si ressemblante qu'un délicat parfum s'en dégageait. Ewilan la saisit et, après l'avoir admirée sous tous ses angles, reporta son regard sur son professeur. Dessiner un tel chef-d'œuvre impliquait, au-delà d'un Don exceptionnel, une sensibilité insoupçonnée, et elle se promit d'être plus attentive à son enseignement. Comme s'il avait pris note de cette résolution, maître Elis lui adressa un signe de tête puis, d'un mouvement du menton, lui indiqua le chronomètre mural. Il ne restait qu'une poignée de secondes.

Ewilan se glissa dans l'Imagination. Elle savait que ses camarades ne créaient qu'une reproduction à la fois car ils étaient incapables de gérer simultanément plusieurs paramètres. Cela l'avait toujours surprise, dessiner était si naturel pour elle. Si facile.

Elle imagina un immense bouquet de roses de cristal qui se matérialisèrent soudain sur la table, écrasant par leur nombre la prestation des autres étudiants.

Liven sortit des Spires et contempla sa voisine avec une fascination teintée d'une pointe de jalousie. Que cela lui plaise ou non, il devait apprendre à se contenter de la deuxième place.

Ewilan ne lui prêta aucune attention, les yeux posés sur la rose qu'elle tenait toujours à la main. La fleur lui paraissait moins miraculeuse tout à coup, sa beauté comme ternie par l'éclat de ses rivales. Ewilan se coula à nouveau dans l'Imagination. Le bouquet qu'elle avait créé cessa d'exister.

Le test s'acheva à cet instant précis. Maître Elis, sans jeter un œil aux autres étudiants, s'avança vers elle.

– Que se passe-t-il, Ewilan ?

Elle sourit devant l'inquiétude du professeur et lui tendit la fleur de cristal.

– Tenez, lui dit-elle. Certains miracles sont faits pour rester uniques.

5

La Greffe sacralise l'accession au rang de marchombre.
Ellundril Chariakin, chevaucheuse de brume

Salim passa devant la vitrine de la bijouterie en ne lui accordant qu'un coup d'œil rapide. Cela lui suffit pour repérer la configuration des lieux, la statue près du comptoir et la présence de trois clients. Jugeant le moment propice puisqu'un vendeur occupé serait moins enclin à lui prêter attention, il fit demi-tour et poussa la porte.

« Lorsque tu entres dans un lieu inconnu, tu es la cible de tous les regards. Ceux-ci se détournent ensuite quelques secondes avant de revenir sur toi pour ne plus te lâcher. Ces secondes durant lesquelles tu es invisible sont les secondes du marchombre. Elles sont ton temps, ton monde, ta liberté. »

Le bijoutier était un obèse maniéré qui s'entretenait avec un couple en ponctuant son discours de gesticulations ridicules. Ses yeux en revanche restaient froids et calculateurs. Salim le remarqua lorsque le

commerçant les braqua sur lui pour le jauger brièvement avant de les reposer sur ses interlocuteurs.
Un troisième homme était plongé dans la contemplation d'une collection de bracelets et tournait le
dos à Salim.

*« Le geste du marchombre se fond avec ce qui l'en-
toure, ne crée aucune turbulence, n'attire aucun regard.
Il est harmonie. »*

La main du garçon se détendit, caressa la joue de
la statue comme pour en apprécier la douceur,
effleura le fermoir du collier qui s'ouvrit. Le bijou
glissa sans bruit dans sa manche. L'action avait duré
le temps d'une respiration.

– Jeune homme ?

Le bijoutier avait de nouveau tourné la tête dans
sa direction, intrigué par l'allure de ce drôle de
client. Trop tard. Salim avait utilisé les secondes du
marchombre. Son larcin était passé inaperçu.

– J'ai l'intention d'offrir une bague à une amie,
expliqua-t-il. Vous paraissez toutefois occupé. Je
repasserai plus tard.

Avec un sourire rassurant, Salim sortit de la bou-
tique. Il jeta un coup d'œil à la taverne que lui avait
indiquée Ellana mais ne put apercevoir la jeune
femme. Il n'y avait que quelques tables en terrasse,
toutes occupées. Sans doute s'était-elle installée à
l'intérieur.

Salim expira longuement et se dirigea vers la
deuxième bijouterie. Il l'avait presque atteinte lorsqu'un objet froid et pointu se logea entre ses côtes
tandis qu'une main se posait sur son épaule.

– Tu continues à marcher paisiblement et tu prends
la première rue à droite. Si tu tentes quoi que ce
soit, tu es mort.

La main remonta jusqu'à la base de son cou et pressa un nerf sous le muscle du trapèze. Salim faillit hurler de douleur. Il tourna la tête, incapable de se dégager. L'homme qu'il avait remarqué dans la bijouterie devant les bracelets lui offrit en retour un regard inexpressif.

— Ne t'occupe pas de moi, ordonna-t-il d'une voix sans âme.

Comme pour renforcer l'injonction, le poignard perça la tunique de Salim et traça un trait brûlant sur son flanc.

— Merde, c'est pas mon jour, murmura le garçon.

Il contracta ses muscles pour passer à l'attaque et se débarrasser de son agresseur mais les doigts sur son cou resserrèrent leur prise et Salim oublia ses velléités d'action sous la violence de la décharge électrique qui parcourut son dos. Celui qui le tenait n'était ni grand ni musclé, pourtant il contrôlait totalement la situation. Ils quittèrent l'avenue et pénétrèrent dans une ruelle déserte. Ils marchèrent quelques instants puis l'homme poussa Salim dans un renfoncement et se planta devant lui.

— Le collier. Donne !

Salim prit le temps de détailler le personnage qui lui faisait face. De petite taille, une fine moustache, des habits anodins, il ne payait pas de mine et, son poignard mis à part, ne paraissait pas dangereux.

Son regard glacial générait toutefois un insidieux sentiment de péril renforcé par ses mouvements sûrs, précis, rapides, semblables à ceux d'une mangouste. Et il y avait la douleur qu'il avait été capable d'infliger du seul bout de ses doigts...

— Je ne le répéterai pas. Donne-moi le collier.

Aucune intonation dans ces mots sans âme mais une promesse.

De mort.

Salim avait effectué de remarquables progrès sous la houlette d'Ellana, il avait gagné en confiance, ses talents martiaux dépassaient désormais ceux de nombreux adultes. Néanmoins, sans pouvoir se l'expliquer, il doutait de ses chances en cas d'affrontement avec l'inconnu. Une voix en lui criait même qu'il n'en possédait aucune. La prudence voulait qu'il cède à cet homme le bijou qu'il convoitait et dont lui, Salim, n'avait rien à fiche.

Sauf qu'il y avait Ellana !

Salim ne s'imaginait pas rejoindre la marchombre pour lui avouer qu'il s'était fait détrousser comme un benêt incapable. Le regard qu'elle poserait sur lui, sa déception, seraient insoutenables !

Son pied fusa droit vers le tibia de son adversaire. Une attaque simple et efficace qu'il doubla d'un atémi à la gorge. Il s'agissait au mieux d'éliminer l'inconnu, au pire de s'ouvrir une possibilité de fuite. Aucun des deux coups ne porta.

Salim fut fauché avec violence au niveau des chevilles et s'effondra sans pouvoir amortir sa chute. À moitié sonné, il sentit le petit homme appuyer un genou sur sa poitrine puis une lame aussi affûtée que celle d'un rasoir s'approcha de sa gorge. Un geste sans aucune équivoque.

– Jorune, arrête !

L'ordre avait claqué, tout proche.

La voix d'Ellana.

D'un mouvement impressionnant de fluidité, le dénommé Jorune se redressa. Il pivota, jambes fléchies, poignard tendu, avec une telle rapidité que

Salim comprit que sa tentative de rébellion était depuis le début vouée à l'échec. Jorune était un marchombre !

– Ellana ! Que veux-tu ?

Aucune inquiétude dans la voix de Jorune. À peine un soupçon de surprise. Ellana se tenait à trois mètres de Salim qui se relevait péniblement. Elle ne le regardait pas, son attention focalisée sur le petit homme.

– Salim est mon élève, Jorune.

– Il a volé mon client.

Deux évidences pleines de sous-entendus qui laissèrent à Salim la désagréable impression de ne pas exister. Jorune avait conservé son poignard à la main et Ellana, si elle n'avait pas tiré sa lame, était en position de combat. Une tension presque visible crépitait entre eux.

– Ton client m'a trompée. Je règle mes comptes.

– Je suis là pour t'en empêcher.

Un sourire carnassier se dessina sur le visage de la marchombre.

– Tu es devenu prétentieux.

– Non, efficace. Je vais d'ailleurs achever ce que j'ai commencé, annonça le petit homme en esquissant un mouvement vers Salim.

La lame d'Ellana sortit avec un chuintement.

– Ne me tourne pas le dos, cracha-t-elle.

Jorune se figea.

– Un contrat l'emporte sur une vengeance, déclara-t-il. La guilde n'appréciera pas !

– Elle n'apprécierait pas non plus que tu t'en prennes à mon élève.

– Ce n'est pas à ton élève que je m'en prends, mais à ton complice. Qu'il me rende le collier et l'affaire est close. Nul ne saura que tu as plié.

Ellana émit un rire sec et méprisant.

— Moi je le saurai ! Salim, viens ici.

Le garçon, stupéfait par la tournure des événements, obtempéra. La marchombre n'avait pas quitté Jorune des yeux.

— Je n'ai pas de temps à perdre en discussions inutiles, reprit-elle. Désormais ce collier m'appartient. Si tu le revendiques, viens le chercher. Je te tuerai. Sans plaisir mais je te tuerai. Tu le sais aussi bien que moi. Si tu es raisonnable, va-t'en !

Jorune la foudroya du regard.

— J'en référerai à la guilde, menaça-t-il.

— Arrête, tu me terrifies ! railla-t-elle d'une voix dure.

Le petit homme se détourna soudain et, d'un pas posé, quitta la ruelle.

Lorsqu'il fut loin, Ellana planta ses yeux dans ceux de Salim qui perdit contenance.

— Euh... je... c'est que... bafouilla-t-il. Je suis désolé... je...

— Respire, mon garçon, lui conseilla-t-elle avec un sourire, je ne te tiendrai pas rigueur de cet incident. Jorune est un adversaire encore trop fort pour toi.

Salim sentit un poids quitter sa poitrine.

— C'est un... marchombre ?

Elle hocha la tête, visiblement peu désireuse de poursuivre l'échange. Salim s'en aperçut.

— Qu'allons-nous faire maintenant ? demanda-t-il.

Ellana le dévisagea avec surprise.

— Quelle question ! Moi, je vais finir mon verre et toi, tu vas achever ton travail.

— Mais...

Une lueur mauvaise s'alluma dans le regard de la marchombre et le poignard qu'elle n'avait pas rengainé se releva de quelques centimètres.

– C'est bon, capitula Salim, je n'ai rien dit ! À tout à l'heure...

Il tourna les talons en ravalant le flot d'imprécations qui lui montaient à la bouche.

– Salim !

– Oui, je sais, lança-t-il sans se retourner, je serai prudent !

6

L'Imagination n'est pas une dimension au vrai sens du terme puisqu'elle ne possède aucune réalité matérielle. Le Dragon peut pourtant s'y déplacer physiquement. Ne sommes-nous donc que des nains?

Elis Mil' Truif, maître dessinateur à l'Académie d'Al-Jeit

Ils étaient assis dans l'herbe sous le cèdre millénaire qui se dressait au centre du parc de l'Académie. L'arbre leur offrait son ombre et le chant de la multitude d'oiseaux qui s'abritaient dans sa ramure.

– Vas-tu avoir des ennuis avec maître Elis après ton échec au test? s'inquiéta une petite blonde potelée aux cheveux courts.

Liven leva les yeux au ciel.

– Ewilan n'a rien raté, Shanira! Tu n'as pas entendu le boucan qu'elle a fait dans les Spires? Vu le bouquet de roses qu'elle a créé?

– Oui, d'accord, mais...

– Mais rien du tout, la coupa Kamil. Maître Elis sait parfaitement qu'Ewilan dessine mieux que Merwyn en personne! Elle n'aurait aucun besoin de suivre un quelconque enseignement. En la gardant ici, nos profs soignent l'image de marque de l'Académie d'Al-Jeit et travaillent pour sa notoriété. C'est la seule chose qui compte pour eux. Ceux d'Al-Chen doivent être verts de jalousie.

– Je ne suis pas tout à fait d'accord, intervint Ewilan.

– C'est que tu n'as jamais mis les pieds à Al-Chen, rétorqua Kamil. Ils sont aussi teigneux que des goules, là-bas. Crois-moi !

Ewilan ne put retenir un sourire.

– Je te crois, même si, ayant eu l'occasion de me frotter à une goule, je te trouve sévère. Je pense juste que nos enseignants, et surtout maître Elis, ne se focalisent pas sur une simple rivalité entre Académies. Ils ont selon moi des objectifs moins grossiers.

– Explique-toi, Ewie, lança Liven en croisant ses mains derrière sa nuque. Je suis curieux de t'entendre.

Ewilan le contempla un instant. Grand, solidement bâti, Liven savait utiliser son physique avantageux pour séduire. Ses yeux d'un bleu profond riaient volontiers et son sourire découvrait des dents d'une blancheur éclatante. Jusqu'à sa peau toujours hâlée qui était lisse et parfaite. L'archétype de l'étudiant comblé par la nature à qui tout réussit ! Heureusement qu'il était également plein d'humour et de générosité, sinon elle l'aurait trouvé d'une perfection triste à pleurer.

– Je suis ici pour vous rencontrer, reprit-elle. C'est évident.

– Évident ? Tiens donc… ironisa Ol.

– Bien sûr, enchaîna Ewilan sans se démonter. Vous êtes les meilleurs élèves de la meilleure

Académie de Gwendalavir. Vous êtes capables de le reconnaître sans verser dans la prétention, non ? Vous êtes promis aux plus hautes fonctions à un moment où l'Empire se remet de la guerre contre les Raïs et doit impérativement reconstruire ses forces. Il est indispensable qu'une complicité se crée entre vous pour que vous puissiez œuvrer ensemble avec une efficacité optimale. Si je suis là, ce n'est pas pour apprendre à dessiner mais pour m'intégrer à votre groupe.

— Pas mal comme raisonnement, admit Nalio en passant les doigts dans sa chevelure rousse. Tu oublies juste que si Kamil ou Liven sont des virtuoses, moi je dessine comme une patate !

— Et alors ? J'ai dit que vous étiez les meilleurs élèves, pas les meilleurs dessinateurs ! Peux-tu nier que ton esprit d'analyse et ta perspicacité éblouissent jusqu'à maître Ryag, pourtant expert en la matière ?

— Non.

— Ta réponse le prouve. Tu finiras au palais, Nalio, comme proche conseiller de l'Empereur et je suis sûre que tu l'as compris depuis plus longtemps que moi.

Liven partit d'un grand éclat de rire.

— Je suis d'accord avec toi, Ewie. Nous incarnons l'avenir de Gwendalavir, j'en ai conscience et, ma légendaire modestie dût-elle en souffrir, je l'affirme haut et fort. Je pense également que notre tour viendra plus vite que prévu.

— C'est probable... et logique, acquiesça Ewilan. Tu ne caches pas ton désir de devenir rapidement une Sentinelle, Liven, ni toi, Kamil, ou toi, Ol.

— Il n'y a pas de honte à ça ! s'exclama Kamil, l'indignation faisant étinceler ses yeux gris.

– Bien sûr que non ! Mes parents sont des Sentinelles et contribuer à la sécurité de l'Empire est une
noble tâche. Je vous exposais simplement ce que sont,
d'après moi, les raisons de ma présence ici.

– En tout cas, conclut Nalio en se levant, future
élite alavirienne ou pas, nous avons intérêt à nous
dépêcher si nous ne voulons pas que maître Vorgan
nous enseigne le pas sur le côté vers Kur N'Raï.

Plus tard, lorsque les cours se furent achevés, Liven
s'approcha d'Ewilan.

– Je t'offre un verre au sommet de la tour sud. Ça
te dit ?

– Pas de chance ! Je suis attendue par maître Elis
et maître Duom.

– Ciel, des rivaux... et non des moindres ! Ai-je
une chance de conserver tes faveurs face à pareils
soupirants, moi qui ne suis qu'un pauvre étudiant ?

– Aucune, Liven, mais si tu m'accompagnes jusqu'à la grande porte, je te demanderai volontiers un
service.

– Tu sais très bien que je ne peux rien te refuser,
lui assura Liven en lui prenant familièrement le bras.
Strictement rien !

– Belle prise de risque, sourit Ewilan, et j'ai très
envie de te mettre à l'épreuve...

– Chiche !

Elle le contempla avant de secouer la tête avec
amusement. Liven était vraiment un ami. Plein
d'humour mais également fiable et prévenant. Après
le dramatique épisode de l'Institution dans l'autre
monde, lorsqu'elle avait rejoint Al-Jeit et l'Académie,

il avait tout fait pour qu'elle retrouve ses marques, son équilibre, sa joie. Elle savait qu'elle pouvait compter sur lui.

– Non, pas chiche, rectifia-t-elle dans un rire. Je t'ai dit que j'étais pressée et je n'ai pas le temps de te faire regretter ta proposition. Mais tu ne perds rien pour attendre.

– Tant pis, ironisa Liven. Que voulais-tu me dire ?

Elle effleura son épaule du bout des doigts comme pour adoucir les mots qu'elle se préparait à formuler.

– J'aimerais que tu t'abstiennes de me réveiller avec des messages nocturnes, même spirituels. Quoi que prétendent nos professeurs, je manque d'imagination et quand le soleil est couché, je trouve assez logique de l'imiter !

– De quoi parles-tu ?

Liven s'était arrêté et la regardait avec un air de stupéfaction qui ne pouvait être feint.

– Tu n'es pas à l'origine du message de cette nuit ? s'étonna Ewilan.

– Quel message ? Je te vois tous les jours et je sais pertinemment que tu es loin d'avoir retrouvé la forme. Je ne me permettrais pas de te priver de sommeil et que tu aies pu le croire me chagrine un peu.

– Je suis désolée, Liven. Quelqu'un m'a raconté cette nuit je ne sais quelle bêtise sur l'amour et j'ai cru qu'il s'agissait de toi.

– Que c'était moi qui te parlais d'amour ? reprit Liven avec un grand sourire. Je peux le faire si c'est ce que tu souhaites...

Ewilan choisit de croire à une boutade et le bouscula gentiment.

– N'oublie pas que je suis attendue par deux prétendants. Inscris-toi sur la liste des candidats et sois patient !

Ils reprirent leur chemin, fendant la cohue des élèves qui se dirigeaient comme eux vers la sortie, Liven marchant un peu trop près d'elle au goût d'Ewilan sans qu'elle sache avec précision pourquoi cela la gênait. Ils échangèrent leurs opinions sur le test du début de journée et en arrivèrent vite à l'analyse formulée par Ewilan sous le cèdre.

– J'ai l'impression que tu ne souhaites pas devenir une Sentinelle, s'étonna Liven. Cette fonction te conviendrait pourtant à merveille.

– Kamil fera une excellente Sentinelle, rétorqua Ewilan, comme toi, Lisys, Ol ou la plupart des élèves de notre groupe.

– Tu n'en restes pas moins la plus douée et l'Empereur a besoin de nous tous. Sur les douze Sentinelles que compte Gwendalavir, deux sont hors jeu, trois si on compte Phillil Cil' Vian qui n'est toujours pas sortie du coma après sa chute. Il en reste neuf dont sept ont trahi l'Empire. Sil' Afian leur a pardonné mais je donnerais ma main à couper qu'il cherche à renouveler les effectifs. Il y a de la place pour la totalité d'entre nous, tu peux me croire !

– Je n'ai que quinze ans, Liven.

– Tu sais parfaitement que l'âge importe peu.

– Alors il faudra qu'un jour je te parle de ces sentiments étranges qui bouillonnent en moi, de cet irrépressible besoin d'espace et de mouvement qui me pousse vers un avenir dont je sais qu'il ne se déroulera pas à Al-Jeit. Je ne serai pas Sentinelle. Jamais.

– Tu veux dire que…

– Je t'en parlerai un jour, Liven. Pas maintenant.

– As-tu seulement conscience de ce qu'ensemble nous pourrions réaliser ? La force que nous posséderions si nous faisions équipe ? De l'avenir qui s'ouvrirait à nous ?

Liven s'était fait pressant, il lui saisit le bras. Ils n'avaient pas cessé de marcher et à cet instant, ils franchirent l'immense porte de l'Académie. Bien que le soleil commençât à infléchir sa course, sa lumière était encore vive et ils plissèrent les yeux sous son éclat.

– Ewilan !

Elle reconnut sa voix avant de l'apercevoir et un sourire radieux illumina son visage. Elle s'élança dans sa direction.

– Salim !

7

La guilde veille au respect du code des marchombres. Elle intervient très rarement mais ses jugements sont sans appel.

Ellundril Chariakin, chevaucheuse de brume

– Tu es blessé ?

Ils s'étaient étreints sans se soucier des regards amusés des passants et Ewilan désignait maintenant le cou de Salim. Elle frôla du doigt les trois griffures laissées par les lames d'Ellana.

– Ce n'est rien. Juste le métier qui rentre.

– Mais tu...

– Ce n'est rien, je te dis. J'ai quartier libre jusqu'à demain matin. J'aimerais saluer Maniel et ensuite nous pourrions filer à...

– Pas tout de suite, Salim.

– Comment ça pas tout de suite ? Tu n'as pas fini tes cours ?

– Si, mais maître Duom et maître Elis ont demandé à me voir. Ils étudient le pouvoir d'Illian depuis notre retour et ont requis mon aide.

Salim haussa les épaules.

— Tu n'as qu'à les envoyer promener !

— C'est impossible, tu le sais très bien.

— Je sais surtout que lorsque nous sommes revenus à Al-Jeit, maître Duom s'est empressé de t'écarter. Officiellement pour que son analyse soit réalisée dans des conditions neutres, en réalité parce qu'il craignait que ton talent éclipse le sien. Il voulait briller tout seul, non ? Eh bien laisse-le se débrouiller ! Je crois avoir compris qu'Ellana projette un nouveau voyage. C'est peut-être notre dernière soirée tranquille avant une éternité, alors les vieux débris attendront...

Ewilan ne put s'empêcher de sourire devant l'exubérance de son ami et ses théories farfelues. Elle avait besoin de lui, de sa présence, de sa force, d'une manière qui lui faisait parfois peur mais, si leurs récentes aventures dans l'autre monde l'avaient mûri, il n'en restait pas moins le Salim qu'elle avait toujours connu, pétillant, insolent et... insupportable.

— Tu es injuste, Salim. Maître Duom est un homme intègre et complètement étranger à la vanité ou à l'égoïsme. De plus, s'il s'est occupé d'Illian, c'est parce que l'Empereur le lui a demandé. À lui et non à nous !

— Peut-être, mais en fin de compte il ne peut pas se passer de toi !

— C'est exact. Je vais donc le rejoindre au palais.

— Tu es une véritable tête de mule, tu sais ? Bon, tu seras retenue longtemps ?

Ewilan lui caressa la joue en lui décochant un clin d'œil, ce qui eut pour effet de gommer sur le visage de Salim la moindre trace de contrariété.

– Je ne pense pas, et nous aurons ensuite toute la soirée à nous. C'est promis !

Une silhouette se profila près d'eux. Salim leva les yeux vers un jeune homme qui le dépassait d'une bonne tête et lui adressait un sourire avenant. Il ouvrit la bouche pour lui demander ce qu'il désirait, mais Ewilan le devança :

– Salim, je te présente Liven. Liven, Salim.

Les deux garçons se considérèrent quelques secondes puis Liven tendit sa main ouverte.

– Je suis enchanté de faire enfin ta connaissance. Ewie m'a parlé de toi.

– Ewie ?

Si Salim avait serré cordialement la main de Liven, il le dévisageait maintenant sans aménité. Cela n'eut pas l'air de troubler le jeune étudiant qui lui tourna ostensiblement le dos pour s'adresser à Ewilan.

– Lorsque tu en auras fini avec nos professeurs, nous pourrions nous retrouver pour dîner tous les deux ? Il y a une exposition sur...

– Elle a déjà rendez-vous ! Avec moi !

La phrase de Salim avait claqué. Dure. Liven pivota vers lui, une impression de profonde surprise peinte sur le visage.

– Avec toi ? Vraiment ?

Salim ferma les poings mais une flamme dans les yeux violets d'Ewilan le retint. Casser la figure de cet abruti prétentieux n'était sans doute pas la meilleure chose à faire. Pas en public.

– Avec moi, oui. Depuis que je la connais, Ewilan n'a jamais manifesté le moindre intérêt pour les blondinets arrogants. Inutile d'insister !

Sous l'insulte, le teint de Liven vira à l'écarlate. Submergé par une vague de colère, il se glissa dans l'Imagination avant de savoir ce qu'il allait faire puis, pris d'une inspiration subite, dessina un monticule d'ordures...

... qui se désagrégea avant de basculer dans la réalité.

La voix d'Ewilan retentit dans son esprit :

– *Non !*

Liven sursauta, blêmit après avoir rougi et se lança à nouveau dans les Spires. Il ne réussit même pas à atteindre les niveaux inférieurs. Son pouvoir se heurtait à celui d'Ewilan comme à un mur infranchissable. Une falaise indestructible.

– *Je ne te laisserai pas lui faire de mal ! Tu l'as provoqué volontairement, c'est indigne de toi. Nous en reparlerons si tu le désires mais, pour l'instant, il vaut mieux que tu te retires.*

Le jeune dessinateur étouffa un juron puis, dans un monumental effort de volonté, recouvra le contrôle de ses émotions.

– Je suis désolé, Salim. Je me suis conduit comme un imbécile. J'espère que tu acceptes mes excuses et que tu ne m'en voudras pas. Je vous souhaite une bonne soirée.

Sans attendre de réponse, il se détourna et s'éloigna d'un pas rapide.

– Mais qui c'est ce mec ? s'emporta Salim.

– Liven est un ami.

– Un ami, cet ahuri ? Tu plaisantes ou alors tu choisis tes amis d'une drôle de façon !

Ewilan planta ses poings sur ses hanches et le dévisagea avec désapprobation.

– Je ne plaisante pas et je choisis mes amis comme je l'entends sans demander son avis à quiconque, pas même à toi. Liven a été maladroit, il l'a admis et s'est excusé. Tu n'as pas été non plus un modèle de courtoisie que je sache...

– C'est lui qui a commencé, s'entêta Salim. J'ai d'ailleurs failli lui en coller une. Il a dû s'en apercevoir parce qu'il n'a pas insisté.

Elle lui adressa une grimace ironique.

– Il était terrifié ! Liven est en passe de devenir Sentinelle, il maîtrise l'Art du Dessin comme peu d'étudiants mais il était terrifié !

Salim comprit qu'il se fourvoyait et fit marche arrière de bonne grâce.

– Message reçu, ma vieille. Bon, on y va ? Plus tôt tu seras arrivée, plus tôt ces maîtres enquiquineurs te libéreront.

Ils se mirent en route côte à côte, Salim racontant à Ewilan comment il avait failli se faire égorger par un marchombre et comment Ellana l'avait tiré de ce mauvais pas avant d'exiger qu'il poursuive sa mission.

– Et j'y suis retourné ! Je n'étais pas fier de moi, tu peux me croire. Le second bijoutier devait être aveugle pour ne pas remarquer mon manège mais j'ai réussi à déposer le collier comme convenu et je suis reparti le plus vite possible, le cœur battant à mille à l'heure, persuadé que ce Jorune allait abattre sa main sur mon épaule avant de me découper en morceaux...

Ewilan lui lança un regard inquiet.

– Tu es certain de vouloir devenir marchombre ?

– Plus que jamais, ma vieille ! J'avais beau être mort de trouille, je me suis rarement autant amusé de ma vie.

Ce n'est qu'en arrivant aux abords du palais que Salim saisit le bras d'Ewilan pour l'obliger à s'arrêter. Il la regarda avec une lueur de détresse au fond des yeux.

– Dis... ce gars qui t'appelle Ewie ?

– Liven ?

– Oui, c'est ça. Ce Liven... c'est un ami ou... un ami ?

Ewilan mit quelques instants à comprendre puis éclata d'un rire franc qui fit fondre les craintes de Salim.

– Un ami, Salim. Juste un ami.

8

J'ai toujours cru que notre Art était au centre de la vérité universelle. Puis j'ai découvert Illian...

Elis Mil' Truif, maître dessinateur à l'Académie d'Al-Jeit

– **E**wilan!

Le hurlement fit sursauter maître Duom tandis que maître Elis portait la main à son cœur en se raidissant.

Illian bondit du fauteuil sur lequel il était assis, bouscula le vieil analyste et se précipita dans les bras d'Ewilan qui venait de pénétrer dans la pièce. Il se blottit contre elle et nicha sa tête dans le creux de son cou.

– Où tu étais? Tu m'as manqué! Tu m'avais promis de rester avec moi! Je t'ai attendue chaque jour, chaque minute, mais tu n'es pas venue!

Les mots sortaient en un flot ininterrompu de sa bouche et Ewilan sentit son cœur se serrer. Elle se reprocha une nouvelle fois de ne pas avoir insisté davantage lorsque maître Duom lui avait demandé

55

de se tenir loin d'Illian. Elle était pourtant persua-dée que l'intervention de spécialistes du Dessin avides d'analyser son don empêcherait le jeune gar-çon de retrouver un équilibre mis à mal par son enlèvement et sa détention. Illian était un enfant, il avait besoin d'attention, d'affection. Il avait besoin d'elle...

Elle s'était cependant laissée convaincre du carac-tère essentiel, peut-être vital pour l'Empire, de ce travail d'analyse et avait confié Illian à maître Duom. Elle n'en gardait pas moins mauvaise conscience. Illian se trouvait en de bonnes mains au palais, mais c'était elle qui l'avait découvert ligoté, bâillonné au cœur de l'Institution, elle qui l'avait délivré, étreint, rassuré, et le lien créé entre eux à cette occasion était fort. Très fort.

Pour Illian, Ewilan était la fée qui l'avait sauvé des griffes de celle qu'il nommait la sorcière. Il lui vouait une adoration absolue.

Pour Ewilan... Pour Ewilan, la situation s'avérait plus complexe. Elle s'était attachée à Illian et la puissance du sentiment qu'elle lui portait la sidérait, dépassant la simple affection due à un petit garçon arraché à sa famille pour tendre des ramifications dans tout son être. Illian avait trouvé sa place si facilement dans son cœur. Cela ne signifiait-il pas que cette place était libre ? Et si oui, combien de vides inconnus se cachaient-ils encore en elle ?

— Je suis là maintenant, murmura-t-elle à l'oreille d'Illian.

Puis plus fort :

— Je suis sûre que tout le monde t'a chouchouté ici, n'est-ce pas, maître Duom ?

L'analyste acquiesça avec un grand sourire.

– À en devenir gâteux, tu peux me croire ! Mais nous avons également travaillé et, comme Illian s'est montré coopératif, nous avons progressé plus vite que je ne l'imaginais. Illian, si tu allais jouer à côté un moment ? Elis et moi souhaiterions parler avec Ewilan.

Le petit garçon, toujours blotti contre Ewilan, secoua la tête.

– Je reste avec elle.

Ewilan reconnut dans sa voix l'inflexibilité qui caractérisait son don, cette volonté rigide et incroyablement puissante qui lui faisait traverser l'Imagination comme un barbare aveugle jusqu'à ce qu'il atteigne son but. Était-ce une déviance de l'Art du Dessin particulière à Illian ou un pouvoir propre à son peuple ? La question était d'importance et nécessitait une réponse avant que l'expédition requise par l'Empereur Sil' Afian se mette en route.

– Illian, peux-tu nous laisser un moment s'il te plaît ? intervint Ewilan. Je te promets qu'ensuite je jouerai avec toi.

Le petit garçon ouvrit la bouche pour refuser mais ses yeux croisèrent ceux de la jeune fille et il se contenta de demander :

– Promis ?

– Juré !

Il déposa un baiser sur la joue d'Ewilan et sauta à terre. Lorsque la porte se fut refermée derrière lui, maître Duom poussa un soupir de soulagement.

– Ce garnement est aussi facile à manier qu'un Ts'lich qui aurait une rage de dents ! avoua-t-il en écartant les bras en signe d'impuissance. Nous avons été incapables de lui soutirer la moindre information sur Valingaï ou sur sa famille. C'est à croire qu'il n'a pas de parents et qu'il est resté cloîtré dans une pièce sans fenêtre depuis sa naissance. En revanche, si son passé est obscur, il ne manque pas de ressources. Sais-tu que d'un seul mot il a fait exploser le scintilleur de l'Académie ? Ces appareils valent une fortune et sont normalement à l'abri de ce type d'accident. Leur structure s'étend dans l'Imagination et les protège d'un dessin mal intentionné. Est censée les protéger, devrais-je dire.

– Comment pourrais-je savoir quoi que ce soit ? lui fit remarquer Ewilan. Vous avez veillé à ce que je sois tenue loin d'Illian et, au cours de ces trois dernières semaines, maître Elis n'a pas voulu répondre à une seule de mes questions à son sujet.

Maître Duom perçut la pointe de reproche dans sa voix mais refusa de se lancer dans des justifications.

– Je n'ai pas pris seul cette décision, répondit-il. Edwin a donné son avis et l'Empereur a tranché. Tu as beau posséder un don unique, il est de notre devoir de veiller à ce que ta vie redevienne celle d'une adolescente de quinze ans. Tu as le temps de devenir adulte !

Ewilan ne put retenir un soupir excédé. Elle faillit s'emballer, rétorquer qu'ils avaient eu moins d'égards pour son âge lorsque l'Empire était en danger, sans parler d'Éléa Ril' Morienval qui ne lui avait pas laissé le choix, mais elle se contint. Attaquer de front le vieil analyste n'était sans doute pas la meilleure solution si elle voulait marquer des points.

– Vous avez raison, admit-elle avec un sourire outrancier. Je vais aller embrasser Illian puis je retournerai à ma vie d'adolescente.

– Par le sang des Figés ! s'exclama maître Duom. Tu es une sacrée tête de mule !

– On m'a déjà servi ce compliment il y a moins d'une heure, rétorqua Ewilan. Vous désirez ajouter quelque chose avant que je m'en aille?

Maître Elis se frotta les mains et émit un petit rire qui tira une grimace contrariée à l'analyste.

– Vous avez parfaitement compris ce que mon ami Duom a tant de mal à exprimer, Ewilan. Nous avons effectué un travail considérable, nous en savons désormais beaucoup sur le don d'Illian mais certains aspects de son pouvoir nous échappent encore et votre aide nous serait précieuse. Vous ne souhaitez tout de même pas que nous vous implorions?

Ewilan n'avait aucune intention de se quereller avec maître Duom ni de le pousser dans ses derniers retranchements. Elle opta donc pour un changement de sujet.

– Qu'a donné le test d'Illian?

L'analyste la remercia d'un sourire et saisit un rouleau métallique sur un meuble bas. Il en tira un pan de tissu qu'il déroula sur la table avant de le bloquer avec des pinces prévues à cet effet.

– Voilà ce que nous a fourni le scintilleur de rechange qu'Elis a eu l'amabilité d'aller chercher à Al-Vor grâce à un pas sur le côté. Nous avons dû nous y reprendre à trois fois parce que le cercle correspondant à la volonté d'Illian sortait systématiquement du cadre, néanmoins les résultats que tu as sous les yeux, s'ils ne sont pas à l'échelle que j'utilise d'habitude, sont fiables. Étonnant, non?

Ewilan ne l'écoutait plus. Elle fixait, stupéfaite, le drap qui aurait dû être orné de trois cercles de couleur. Un rouge pour la Volonté, un bleu pour la Créativité et un jaune pour le Pouvoir, la taille et l'agencement de ces cercles définissant la puissance du Don du dessinateur testé. Ce n'était pas le cas.

Elle avait sous les yeux un immense disque écarlate qui masquait presque complètement le tissu blanc. Au centre du disque un minuscule cercle bleu et un cercle jaune, d'un diamètre pourtant respectable, en devenaient insignifiants !

Il lui fallut quelques secondes pour reprendre ses esprits.

– Qu'est-ce que cela signifie ? demanda-t-elle enfin.

– Nous n'avons aucune certitude, expliqua maître Elis. Duom n'a jamais rencontré un phénomène aussi surprenant, même lorsqu'il vous a testée. Il semble évident que le pouvoir d'Illian s'apparente au dessin, mais la Volonté paraît être le moteur essentiel de son don alors que celui des dessinateurs repose sur l'équilibre entre les trois forces. Ce n'est toutefois pas à ce sujet que nous souhaitions solliciter votre concours. Vous nous avez rapporté qu'Illian, lors de ses incursions dans l'Imagination, écrasait une multitude de possibles. Ce sont vos propres mots. Nous aimerions que vous empruntiez son chemin dans les Spires afin de vérifier s'il reste des traces de cet écrasement.

– Des traces dans l'Imagination ? s'étonna Ewilan. N'est-ce pas impossible ?

– Je me garderais d'une telle affirmation, intervint maître Duom. Si nous utilisons l'Imagination depuis des siècles, nous sommes loin d'en appréhender la complexité.

– Très bien. Comment allons-nous procéder ?

– Je voudrais que tu crées un objet simple, une sphère de métal par exemple, mais que tu la dessines éternelle comme tu avais dessiné le poignard d'Ellana. Tu te souviens ?

– Je me souviens surtout du savon que vous m'aviez passé ce jour-là, se moqua Ewilan. Je croyais qu'il fallait s'abstenir de dessiner ce genre de chose...

Maître Duom toussota, un peu gêné.

– Disons que les circonstances sont exceptionnelles. Je demanderai ensuite à Illian de briser ta création et lorsqu'il gagnera l'Imagination, tu le suivras. De notre côté, Elis et moi observerons ta progression à l'aide du scintilleur.

– Pourquoi ne pas étudier directement celle d'Illian ? s'étonna Ewilan.

– Parce que son don est trop destructeur pour les capacités de notre appareil. Et puis deux regards, ou trois, valent mieux qu'un. Tu es prête ?

– J'y vais.

Ewilan se glissa dans l'Imagination. Elle prit son temps pour dessiner une sphère d'acier brillant d'une dizaine de centimètres de diamètre qu'elle rendit incassable, inaltérable, inusable. Lorsqu'elle fut satisfaite de sa création, elle la fit basculer dans la réalité. La sphère se matérialisa sur la table et maître Duom s'empressa de la saisir.

– Tu es certaine qu'elle est éternelle ?

Ewilan ne prit pas la peine de lui répondre. Illian entra dès qu'on l'appela et il fallut lui expliquer ce qu'on attendait de lui. Le jeune garçon gratifia les deux maîtres d'un regard moqueur lorsqu'ils l'avertirent qu'il ne parviendrait peut-être pas à briser la sphère mais il accepta volontiers l'expérience. Il s'installa dans un fauteuil, Ewilan dans un autre, et maître Duom régla le scintilleur.

— Tout est prêt, annonça-t-il finalement. Vous allez monter très haut dans les Spires et, comme c'est le cas dans ces occasions, vous n'aurez plus vraiment conscience de la réalité. Ne vous souciez pas du scintilleur, nous nous en occupons. C'est quand tu veux, Illian.

Le jeune garçon se concentra sur l'objet métallique.

— Casse ! ordonna-t-il.

Ewilan s'était glissée dans les Spires à sa suite. Bien que l'Imagination ne soit pas une dimension physique, elle perçut l'aura d'Illian devant elle.

— Casse !

La sphère demeura intacte. La volonté d'Illian devint un trait acéré et il fila plus haut dans l'Imagination, Ewilan sur ses talons. Elle savait que plus elle monterait, plus le nombre des possibles augmenterait et plus le spectacle qu'elle découvrirait serait merveilleux.

— Casse !

Illian était aveugle aux beautés qu'il écrasait en se propulsant toujours plus haut, c'était la seule explication à sa conduite. Ewilan était toutefois rassurée de constater que les dégâts qu'il occasionnait aux Spires ne duraient que le temps d'un soupir. Après son passage, les possibles redevenaient multitude, resplendissants comme jamais.

— Casse !

Ewilan s'était très rarement avancée aussi loin dans l'Imagination et elle savait que seule une poignée de dessinateurs était capable d'un tel exploit. Conséquence de cette débauche de pouvoir, alors que ses incursions dans les Spires ne duraient habituellement qu'une fraction de seconde, le temps s'écoulait cette fois-ci de manière beaucoup plus marquée. Elle se demanda à quoi Illian et elle pouvaient bien ressembler assis dans leurs fauteuils.

Puis tout bascula.

Une vision de cauchemar la frappa comme un coup de poing monstrueux. Le souffle lui manqua et elle faillit, sous l'impact de sa découverte, être éjectée des Spires. Alors qu'auraient dû s'ouvrir devant elle une myriade de probabilités, de chemins extraordinaires, une falaise abrupte lui faisait face, effrayante de noirceur. Un rideau obscur qui distillait une irrésistible envie de s'enfuir.

Une terreur sans nom.

Ewilan réussit, par un extraordinaire effort de volonté, à juguler sa peur, mais elle ne put avancer davantage. Devant elle, Illian ne semblait pas avoir conscience du danger et filait tout droit, telle une flèche de volonté pure.

– Casse!

Il heurta la falaise, rebondit comme s'il avait physiquement frappé un mur de pierre et resta étendu, inerte, sur ce qui n'était qu'un sol imaginaire.

Ewilan savait qu'il n'était pas vraiment là, que son corps reposait sur un fauteuil dans une salle du palais à Al-Jeit. Elle n'avait qu'à quitter les Spires pour le retrouver. Retrouver son corps. Pas son esprit! Illian était en danger, cette certitude hurlait en elle!

Toujours incapable d'avancer d'un pas, Ewilan porta son attention sur la falaise obscure. La monstruosité qui lui faisait face avait beau se trouver dans l'Imagination, elle était bien réelle. Le grondement sourd qui en émanait, pareil au souffle d'un volcan, aurait suffi à terrifier n'importe quel dessinateur. Ewilan sentit son cœur accélérer et, lentement, elle commença à battre en retraite.

C'est alors qu'un tentacule de noirceur jaillit de l'énorme masse qui barrait les Spires. Ondulant d'une manière effroyable, il s'approcha d'Illian toujours immobile. Ewilan se rua en avant.

Frémissant sous les miasmes nauséabonds qui se dégageaient de la monstruosité, maîtrisant à grand-peine un haut-le-cœur, elle se glissa sous le tentacule, saisit Illian à bras-le-corps et se propulsa hors de l'Imagination.

Elle ouvrit les yeux.

Maître Duom et maître Elis s'affairaient autour d'Illian qui gémissait doucement. Ewilan se leva d'un bond et les rejoignit. Lorsqu'il l'aperçut, le petit garçon tendit les bras dans sa direction. Elle tomba à genoux et le serra contre son cœur. Il tremblait comme une feuille sous la tempête, son front était brûlant, il bafouillait des paroles incohérentes. Une phrase, toutefois, émergea de ses propos.

– J'ai vu l'amour, Ewilan ! J'ai vu l'amour...

9

Le ridicule tue moins que la prétention. Et il fait rire.

Merwyn Ril' Avalon

– L'amour, Salim, comme dans le message que j'ai reçu cette nuit. Non, abstiens-toi de lancer une blague douteuse, ce que j'ai découvert dans l'Imagination est vraiment une monstruosité !

– D'accord, ma vieille, mais je ne comprends rien à ton histoire de dimension qui n'en est pas une, dans laquelle tu te trouves sans y être, avec des falaises qui respirent et des tentacules noirs...

Ils venaient d'achever leur repas. Une salade de crevettes des sables et de pousses de bambous préparée par Salim tandis qu'Ewilan prenait une longue douche brûlante pour se remettre de ses émotions. Ils étaient maintenant installés dans les profonds fauteuils de cuir fauve de la grande pièce à vivre, sous la coupole transparente. Ewilan avait dessiné une chaude lumière qui masquait les étoiles après avoir confié à son ami qu'elle ne se sentait pas capable de rester dans l'obscurité. Pas après ce qu'elle avait vécu.

– L'Imagination n'est pas une dimension matérielle et les dessinateurs ne s'y rendent pas physiquement, expliqua-t-elle. Seul leur esprit arpente les Spires. Le temps qu'ils y passent dépend de leur pouvoir et de la complexité du dessin qu'ils entreprennent. En fonction de ces deux paramètres, ils s'enfoncent plus ou moins loin dans l'Imagination. On dit aussi qu'ils montent plus ou moins haut. Autre détail important, un dessinateur doué peut arpenter les Spires les plus basses sans se déconnecter de la réalité. En revanche, plus il s'élève, plus son esprit est accaparé et il finit par perdre le contact avec ce qui l'entoure. Tu me suis ?

– À peu près. Reste un truc qui me chiffonne : tu m'as dit que le Dragon, lorsque tu l'as rencontré à Al-Poll, se trouvait vraiment dans l'Imagination. Le Dragon et non son esprit.

– Oui, c'est exact et cela illustre à la perfection l'incroyable pouvoir qu'il détient. La falaise noire, ou le rideau obscur, enfin l'horreur que j'ai aperçue, se tenait aussi réellement dans l'Imagination. Comme le Dragon !

– Et Illian ?

– Son esprit est resté piégé lorsqu'il a heurté cette horreur. Il aurait dû réintégrer son corps mais le choc a été tel qu'il n'a pas pu.

– Et le tentacule ?

– Aucune idée sur sa nature. Tout ce que je sais, c'est qu'il était réel et qu'il est sorti de la falaise pour saisir Illian ou, plutôt, l'esprit d'Illian.

Ewilan se tut, passa les mains sur son visage comme pour rassembler ses idées puis reprit en appuyant chacun de ses mots :

– Salim, c'est la chose la plus effrayante que j'aie jamais eu l'occasion de rencontrer.

– Plus que les Ts'liches ? s'étonna-t-il. Plus que l'Institution ? Qu'Éléa Ril' Morienval ?

– Plus. Beaucoup plus !

Un long silence s'installa. Salim tentait vainement d'intégrer les révélations d'Ewilan tandis que celle-ci ressassait son expérience sans réussir à trouver un début d'explication rationnelle. Elle renonça au moment où Salim relançait la conversation.

– Et les deux vieux ? Pardon, les deux maîtres, ils étaient censés suivre la scène, non ? Qu'est-ce qu'ils en pensent ?

– Ils n'ont rien vu. Le scintilleur est incapable d'accompagner Illian dans les Spires et je ne me suis approchée de la chose qu'une fraction de seconde. Il aurait fallu que je reste plus longtemps près d'elle pour qu'une analyse soit possible et je te certifie que c'était hors de question !

Elle expira longuement avant de poursuivre :

– Parlons d'autre chose, d'accord ? Comment se déroule ton apprentissage ?

Salim caressa pensivement les estafilades laissées par les griffes d'Ellana sous son menton, puis celle, plus profonde, causée par le poignard de Jorune sur son flanc.

– Plutôt bien.

– Tu n'as pas l'air très convaincu !

– Disons que le dernier épisode a été un peu rude. Amusant mais rude ! Je crains en revanche qu'Ellana ait poussé le bouchon trop loin avec sa guilde.

– À cause de cette histoire de collier ?

– Oui. D'après ce que j'ai compris, deux marchombres n'entrent jamais en conflit. En cas de divergence d'intérêts, ce qui arrive rarement, des règles strictes et sans appel définissent avec précision les droits et les devoirs de chacun. J'ai l'impression que Jorune était dans son droit lorsqu'il réclamait le collier.

– Et Ellana...

– ... l'a envoyé promener en menaçant de l'égorger, ce qui n'a pas paru le combler de joie. Ce Jorune semble avoir davantage l'habitude de jouer à l'égorgeur qu'à l'égorgé.

– Et la guilde dans tout ça?

– Jorune a promis qu'il allait se plaindre, d'où les ennuis probables qui ne vont pas tarder à pleuvoir sur Ellana.

– Tu t'inquiètes peut-être pour rien. Ellana a déjà eu des problèmes avec sa guilde.

– Cela constitue plutôt un facteur aggravant, non?

– Tu as sans doute raison, acquiesça Ewilan après une brève réflexion. Le voyage impromptu dont tu parlais tout à l'heure serait lié à cette histoire?

– Ça ne serait pas étonnant!

– Tu sais où elle a l'intention d'aller?

– Quelque part entre l'archipel des Alines, Kur N'Raï, le pays Faël et la mer des Brumes.

– Ce n'est pas très précis!

– Justement. Je n'ai pas l'impression qu'elle veuille laisser son adresse en partant.

Salim adressa à Ewilan une grimace désolée. Il ne serait pas libéré de l'engagement contracté auprès de la marchombre avant deux ans. Une éternité durant laquelle il serait tenu de la suivre où qu'elle aille. Tenu de quitter Ewilan.

– Et toi ? reprit-il en se forçant à sourire. Où en sont tes projets de voyage ?

– C'est mal engagé. L'expédition part dans trois jours et je n'ai réussi à convaincre personne que ma présence était nécessaire. Je me retrouve piégée par des examens ridicules, Edwin est introuvable et maître Duom persuadé que mon bonheur passe par une vie d'adolescente bien rangée. Seul Illian souhaiterait que je l'accompagne, mais il n'a pas voix au chapitre.

– On dirait que la chance nous a lâchés, observa Salim.

Ewilan lui lança un long regard scrutateur, puis désigna d'un geste l'immense pièce à vivre, la coupole de verre et les fauteuils dans lesquels ils étaient confortablement lovés.

– Nous sommes ensemble pour l'instant, remarqua-t-elle, et pas vraiment malheureux, non ?

– Tu as raison, convint Salim. Il suffit que tu sois à moins de trois mètres de moi pour que j'étouffe de joie !

– Ce n'est plus l'heure de faire de l'humour bête, Salim, j'ai sommeil.

Il avala sa salive puis se lança :

– Ben... justement...

– Justement quoi ?

– La maison est vide... euh... je veux dire, il y a Maniel, bien sûr, mais on est allés le voir tout à l'heure... il ne bouge toujours pas et... c'est comme s'il n'y avait personne, on pourrait...

– Je suis désolée, Salim, mais je ne vois pas où tu veux en venir !

– À une question. Une simple question. Je dors où, moi ?

Ewilan éclata de rire avant de le saisir par les oreilles pour l'embrasser fougueusement. Elle se dégagea très vite et recula d'un pas.

– Dans ta chambre, mon vieux, comme chaque fois que tu dors ici.

– Mais...

– Bonne nuit, Salim.

Plus tard. Bien plus tard.

– *L'amour ! L'amour arrive ! Prends garde...*

Ewilan se réveille en sursaut, bouleversée par la vision des tentacules noirs qui, dans son cauchemar, viennent de la déchiqueter. La voix dans son esprit s'estompe sans qu'elle y prenne garde, elle gémit, incapable de maîtriser les tremblements de son corps révulsé par une terreur dévastatrice.

D'un bond elle se lève, traverse la maison en courant, pousse une porte, se glisse dans un autre lit.

– Salim... J'ai peur...

Un grognement endormi puis une main chaude qui se pose sur son épaule, caresse ses cheveux. Doucement.

Ewilan ferme les yeux.

Sourit.

10

Les dégâts occasionnés par la guerre sont immenses. Il faudra des années à l'Empire pour s'en remettre. Éléa Ril' Morienval peut être qualifiée d'ennemie historique de Gwendalavir.
Seigneur Saï Hil' Muran, *Journal de bord*

Ewilan se réveilla au son de l'alarme qu'elle avait programmée par un dessin de son invention. Elle s'étira, passa les mains dans ses boucles folles, caressa d'un geste machinal la cicatrice sur son ventre puis, soudain, réalisa qu'elle n'était pas dans son lit. Elle laissa échapper un petit rire avant de dessiner une lumière tamisée. Salim ne se trouvait plus à ses côtés.

Ewilan ne s'en étonna pas outre mesure. Salim lui avait expliqué qu'Ellana était adepte d'horaires loufoques, souvent nocturnes, et considérait qu'un apprenti marchombre devait être opérationnel vingt-quatre heures par jour.

Au moins.

Il n'en avait pas parlé la veille mais Ellana avait dû lui fixer un rendez-vous au lever du jour, voire plus tôt. Tant pis... Ewilan avait dormi comme un loir,

ses cauchemars n'étaient plus que de vagues souvenirs et elle se serait volontiers blottie dans les bras
de Salim. Par plaisir cette fois… Elle ne s'attarda pas
sur cette pensée et se leva pleine d'entrain.

Elle allait tenter à nouveau de persuader Edwin
que sa présence au sein de l'expédition était indispensable. Connaissant l'inflexibilité du maître
d'armes, elle avait préparé une série d'arguments
qu'elle jugeait imparables mais cela ne suffirait pas.
Il lui fallait un allié, quelqu'un qui plaiderait sa cause
au palais. Maître Duom était trop proche d'Edwin.
Il se méfierait d'elle et trouverait immanquablement
des failles dans son raisonnement. Lui demander de
l'aide était donc proscrit. Restait maître Elis…

Le maître dessinateur était un homme beaucoup
plus fin et avisé que son apparence débonnaire,
presque effacée, ne le laissait présager. Ewilan gardait en mémoire la beauté de la rose qu'il avait créée
mais surtout l'ascendant dont il avait fait preuve, la
veille, sur maître Duom, pourtant réputé pour sa
liberté de pensée et son irascibilité quand on le
contredisait. Elle devait convaincre maître Elis de la
soutenir!

Les raisons qui poussaient Ewilan à se joindre à
tout prix à l'expédition étaient multiples. Elle supportait mal l'idée de rester à Al-Jeit alors que ses
compagnons d'aventures s'en éloignaient, elle éprouvait le désir lancinant de revoir ses parents et, surtout, vivait le départ d'Illian comme une véritable
déchirure. Elle s'étonna une fois de plus de la rapidité avec laquelle elle s'était attachée à ce petit bonhomme. Dès leur retour de l'autre monde, ils avaient
été séparés mais elle ne cessait de penser à lui. Nuit
et jour.

Elle déjeuna d'une tranche de pain d'herbes et d'un bol de gelée d'agrumes puis, après avoir vainement tenté d'apprivoiser sa chevelure ébouriffée, elle passa un vêtement et mit un peu d'ordre dans la maison. Elle se rendit ensuite dans la chambre de Maniel.

L'homme-lige était immobile, déconnecté du monde. C'était ce qu'avait affirmé le rêveur qui s'occupait de lui, pourtant ce diagnostic ne satisfaisait pas Ewilan qui le trouvait simpliste, inapproprié pour un homme tel que Maniel. Comme chaque matin, elle s'assit près de lui et entreprit de lui raconter sa vie et ses projets. Elle était convaincue que Maniel l'entendait. Elle acheva son monologue en l'embrassant tendrement et, le cœur serré, se glissa hors de la demeure des Gil' Sayan.

Le matin était jeune, l'air ne s'était pas encore réchauffé sous le soleil de juillet et Ewilan partit d'un bon pas pour oublier le frisson qui avait parcouru son échine lorsqu'elle était sortie, vêtue simplement d'une tunique de soie bleue.

Une foule bigarrée se pressait déjà sur les passerelles d'Al-Jeit, foule dans laquelle Ewilan aperçut plusieurs Faëls. La fin de la guerre contre les Raïs avait resserré les rapports entre les deux peuples, la forêt de Baraïl était désormais traversée par une route sûre et souvent empruntée.

Ewilan se demanda où se trouvait Chiam Vite. Le Faël avait joué un rôle essentiel dans la libération des Sentinelles et lui avait même sauvé la vie alors qu'elle était attaquée par une goule au cœur des plateaux d'Astariul. Ils étaient devenus amis, pour autant qu'on puisse se lier avec un personnage aussi étrange qui maniait la dérision comme une arme redoutable tout en faisant preuve d'une impressionnante sagesse. Il n'avait pas suivi Ewilan lorsqu'elle avait rejoint la citadelle des Frontaliers et, depuis leur séparation, n'avait plus donné signe de vie.

Ewilan abandonna les hauteurs de la capitale pour gagner en contrebas les larges avenues pavées de dalles roses. L'Académie était un somptueux édifice qui se dressait sur une place décorée de massifs fleuris exubérants, de bassins aux formes tarabiscotées et de jets d'eau colorés. On accédait à sa porte monumentale par une volée de marches de marbre flanquée de deux statues représentant Merwyn Ril' Avalon.

Ewilan, à son habitude, ne put retenir un sourire en comparant les traits altiers qu'avait immortalisés le sculpteur au véritable visage du célèbre dessinateur. Merwyn, censé être mort mille cinq cents ans plus tôt, était vivant. Elle était une des rares Alaviriennes à le savoir et la seule, avec Salim, à l'avoir rencontré. Il l'avait secourue alors qu'elle se trouvait en danger et elle se rappelait parfaitement son visage simple et ouvert, pétillant d'intelligence et de sagesse.

L'artiste qui avait sculpté les traits de Merwyn avait réalisé son travail d'après les multiples légendes, parfois contradictoires, racontant la vie du dessinateur. Ses erreurs étaient excusables.

– Tu te demandes si tu es aussi forte que lui?

Ewilan se retourna en entendant la voix de Liven et lui sourit.

– Alors? insista-t-il.

– Alors je ne me posais absolument pas cette question, répliqua-t-elle, et si par hasard je me la posais, la réponse est évidente, non ? Merwyn est le plus grand dessinateur de tous les temps, il serait stupide de prétendre le contraire !

Liven hocha la tête et, prenant familièrement Ewilan par les épaules, l'entraîna vers le sommet des escaliers.

– Je suis désolé pour hier, lui avoua-t-il, je me suis conduit comme un imbécile. J'espère que tu ne m'en veux pas.

– Moi non, répondit-elle, mais Salim certainement.

– Au risque de te fâcher, je dois t'avouer que je me fiche de Salim et de ce qu'il pense...

– Tu as tort. Salim est quelqu'un de formidable !

– J'ai moi aussi des qualités. Il faudrait juste que tu acceptes de les remarquer...

Ewilan se planta face à Liven.

– Je vais essayer d'être claire, Liven. Une fois pour toutes. Tu débordes de qualités et je suis très heureuse de t'avoir rencontré. Tu m'as épaulée lorsque j'étais au plus bas, je t'en suis reconnaissante du fond du cœur et je te considère comme un véritable ami. Un ami, Liven. D'accord ? Je dois te...

– Arrête ! la coupa-t-il. N'en dis pas davantage ou j'aurai vraiment du mal à te faire changer d'avis !

Il lui adressa une affreuse grimace et Ewilan fut incapable de retenir un éclat de rire. Elle appréciait trop Liven pour se formaliser de son insistance et... elle ne pouvait nier que l'attention qu'il lui portait était plutôt agréable.

Ils se séparèrent en pénétrant dans l'Académie. Liven se dirigea vers le parc où les étudiants de leur groupe avaient pris l'habitude de se retrouver le matin tandis qu'Ewilan se lançait à l'assaut de l'impressionnant escalier de cristal qui grimpait vers les hauteurs de l'Académie. Elle découvrit maître Elis dans son bureau en train de consulter un épais grimoire relié de bois sombre.

– Ewilan! s'exclama-t-il. Que me vaut cette bonne surprise matinale? Vous souhaitez que nous reparlions de l'étrange aventure que vous avez vécue hier? Cette histoire de falaise noire?

– Non, maître Elis. Je... Je suis ici car j'ai un service à vous demander.

– Diantre! À voir votre mine, l'affaire doit être sérieuse. Prenez un siège et racontez-moi ce que je peux faire pour vous.

Ewilan s'assit sur le coin d'une chaise.

– Il faut que je me joigne à l'expédition qui va ramener Illian chez lui. Vous seul êtes capable de convaincre Edwin que ma présence est nécessaire.

– Mais c'est impossible, s'écria maître Elis, le départ est prévu après-demain et vos examens ont lieu la semaine prochaine!

– Examens que je n'ai pas besoin de passer, vous ne pouvez prétendre le contraire!

– ...

– Maître Elis, je sais que vous avez tout mis en œuvre pour que je devienne une étudiante comme les autres, vous avez contribué pour beaucoup à mon acclimatation ici et, ces trois dernières semaines, vous avez été tout bonnement génial. Je vous en suis sincèrement reconnaissante, mais ce n'est pas l'Académie qu'il me faut. Je suis responsable d'Illian. Je l'ai sauvé des griffes d'Éléa Ril' Morienval et il me fait confiance. Il a besoin de moi, je ne peux pas le trahir!

– Illian est entre de bonnes mains. Faites donc confiance aux gens qui l'accompagneront.

– Il ne s'agit pas de confiance ! Pas du tout ! Je sens au plus profond de moi que je dois participer à l'expédition. Pour Illian, pour moi et, j'ose formuler ce qui n'est qu'intuition, pour Gwendalavir et ses habitants. Ne voyez pas là de la présomption. Ce pressentiment résonne si fort en moi que je ne peux l'ignorer !

Le maître dessinateur se frotta pensivement les mains.

– Je ne sais que vous dire... Il est certain que les examens ne seront pour vous qu'une formalité, toutefois... et puis je ne sais comment Edwin Til' Illan réagirait à mon intervention. Écoutez, il faut que je réfléchisse, que j'en discute avec Duom. Nous en reparlerons après notre cours de cet après-midi, d'accord ?

Ewilan ne pouvait insister davantage. Elle remercia maître Elis et, tentant de dissimuler sa déception, sortit de son bureau.

11

Dessiner implique une prise en compte de tous les possibles.
Cette particularité est devenue inhérente à la mentalité alavi-
rienne et nous a sans doute évité nombre de catastrophes, que
ce soit à l'échelle de l'individu ou à celle de l'Empire.
Seigneur Saï Hil' Muran, *Journal de bord*

Ils réussirent à échapper trois fois à leurs poursuivants avant d'être acculés au fond d'une impasse.

La journée avait pourtant bien commencé, même
si le mot journée était mal choisi pour décrire le
plein milieu de la nuit lorsque Salim s'était levé. Il
s'était glissé sans bruit hors du lit, avait jeté un dernier regard sur Ewilan qui dormait, les bras repliés
sur le visage, puis avait quitté la demeure des Gil'
Sayan. Comme une ombre.

Ellana l'attendait à leur lieu de rendez-vous, une
place illuminée au cœur d'Al-Jeit, dans un quartier
dont l'animation ne se démentait jamais quel que
soit le moment de la journée ou de l'année.

– C'est quoi le programme ? avait-il demandé en
étouffant un bâillement.

– On s'en va.

Le ton, dur, avait fini de le réveiller.

– On s'en va ? Où ? Pour combien de temps ? Pourquoi ?

– Loin, pour un temps certain, parce que les responsables de la guilde ont décidé de me chercher noise.

– Ils veulent...

– Au mieux m'obliger à comparaître devant eux, au pire régler cette histoire en m'envoyant des assassins.

– Des assassins ? À Al-Jeit ?

– Ça t'étonne ?

– Disons que j'ai du mal à concilier cette menace avec la tranquillité qui règne en ville. Ewilan suit des cours à l'Académie, ses copains parlent d'expositions, de dîners aux chandelles et nous, on fuit des assassins ?

– Une ville est un océan, Salim. Crois-tu que les crabes des rochers savent ce que font les poissons des profondeurs ?

– Je vois... Et toi, tu es un crabe ou un poisson ?

La marchombre avait esquissé un sourire.

– Moi, je suis un oiseau !

Elle avait repéré les quatre types quelques minutes plus tard et ils s'étaient enfuis. Trois fois ils avaient réussi à semer leurs poursuivants, puis il y avait eu cette hésitation qui avait conduit Ellana à opter pour une ruelle plutôt qu'une autre et le piège s'était refermé.

– Des marchombres ou des assassins ? demanda Salim en observant les silhouettes qui approchaient.

– L'un n'exclut pas l'autre, répliqua Ellana en portant la main à son poignard, mais je ne crois pas que ceux-là cherchent à nous tuer. Nous allons peut-être nous en tirer en négociant. En revanche, si l'affrontement devient inévitable, je ne veux pas que tu t'en mêles. Rappelle-toi Jorune, tu n'es pas encore de taille à lutter contre un marchombre. Non, tais-toi ! Ce n'est plus le moment de jouer au rebelle !

Elle redressa les épaules et interpella les hommes qui bloquaient l'entrée de l'impasse :

– Vous avez épuisé ma réserve de patience en me suivant jusqu'ici, messieurs ! Je vous conseille d'aller jouer ailleurs...

Aucune hésitation. Seulement une ironie cinglante mâtinée de colère. Salim en fut empli de fierté, fierté qui augmenta au centuple lorsqu'il perçut un tremblement dans la voix de l'homme qui répondit.

– Il faut que tu nous accompagnes, Ellana. Le conseil exige que tu comparaisses devant lui.

La marchombre éclata d'un rire tranchant comme la lame d'un rasoir.

– Que j'obéisse aux ordres d'un conseil dégénéré où siègent des vieillards séniles ? Vous plaisantez !

– Tu n'as pas le choix.

– Une marchombre a toujours le choix ! Êtes-vous devenus étrangers à l'esprit d'Ellundril Chariakin pour oublier cela ? Vos pas sont-ils désormais guidés par des ordres aveugles et non par le bruit du vent et la saveur de la nuit ? Le temps des marchombres est-il devenu celui des laquais ?

Les hommes se concertèrent du regard puis l'un d'eux, un grand gaillard chauve portant une barbe drue et noire, secoua la tête.

– Garde ta salive et tes belles paroles pour le conseil. Suis-nous!

La lame effilée d'Ellana chuinta en quittant son fourreau.

– Vous me voulez? Venez me chercher!

Salim savait à quel point la marchombre était rapide. Elle l'avait maintes fois sidéré par son agilité et ses réflexes plus proches de ceux d'un chat que de ceux d'une humaine. Pourtant il fut pris au dépourvu lorsqu'elle passa à l'attaque. Si vive que sa silhouette parut soudain indistincte, elle bondit en avant, plongea au sol, effectua un roulé-boulé et se releva en frappant. Le barbu s'effondra, le poignard d'Ellana planté dans la cuisse jusqu'à la garde.

Ses compagnons réagirent avec une promptitude qui stupéfia Salim. Leurs lames, de courts poignards à double tranchant, fendirent l'air mais Ellana ne se trouvait plus à leurs côtés. D'une incroyable détente elle s'était propulsée au-dessus d'eux. Les armes sifflèrent dans le vide alors que son pied se détendait et heurtait une mâchoire qui craqua sinistrement.

Salim choisit cet instant pour se transformer. Il devint le loup noir qui hantait son être et se jeta dans la bataille. Il percuta un des assaillants au moment où Ellana, qui virevoltait tel un feu follet, en fauchait un autre au niveau des chevilles. Le loup mordit sauvagement un genou qui se brisa avec un bruit affreux, la marchombre sectionna un tendon avec ses griffes et, tout à coup, la voie fut libre.

Ils s'élancèrent.

Ils n'avaient pas fait trois pas qu'Ellana trébuchait. Elle vacilla un instant puis, avec un cri étouffé, s'effondra. Le loup qui avait pris les devants revint vers elle. Son image se brouilla et Salim apparut, une grimace catastrophée sur le visage.

— Ellana ! Que se passe-t-il ?

La marchombre respirait avec difficulté. Elle montra d'un geste faible la fine coupure qui barrait son avant-bras.

— Drogue, balbutia-t-elle. Déso... lée.

Ses yeux se révulsèrent et elle s'évanouit.

Salim ne sentit même pas la piqûre qui lui fit subir un sort identique.

12

Lune ronde
Flamme noire
Murmure du vent sur les toits.
Ellundril Chariakin,
chevaucheuse de brume

Ewilan laissa passer un groupe d'élèves de première année qui se hâtaient vers le laboratoire de
maître Ryag et rejoignit les étudiants de son groupe
qui l'attendaient sous le cèdre du parc. Elle les
remercia d'avoir patienté mais ne répondit pas à la
question silencieuse de Liven.

– On y va ? demanda Kamil. Maître Vorgan a du
sang ts'lich dans les veines et je n'ai pas envie qu'il
me découpe en morceaux parce que je suis en retard !

La mise en garde eut beau tirer un sourire à ses
amis, ceux qui étaient assis se levèrent et Lisys
referma le livre qu'elle était en train de feuilleter.
Le premier, Ol se glissa dans les Spires. Il dessina
le pas sur le côté et disparut. Un à un, les autres
l'imitèrent.

Maître Vorgan était le professeur chargé de leur enseigner les finesses du pas sur le côté. Considérant qu'une minute de pratique vaut une heure de discours, il leur donnait chaque jour les coordonnées d'un endroit différent où se rendre le lendemain et les y retrouvait pour les soumettre à des exercices sans cesse plus ardus. Un de ses grands regrets était que la nature du pas sur le côté imposât au dessinateur qui l'effectuait une connaissance préalable de l'endroit où il allait. Toute sa vie, il avait tenté de briser cette barrière, obsession qui aurait été risible si son effroyable caractère n'avait pas tué dans l'œuf la moindre velléité de moquerie.

Ce désir de dépasser les limites de l'Art avait disparu quelques mois plus tôt lorsque maître Vorgan avait appris que Mathieu Gil' Sayan se déplaçait sans difficulté vers des lieux inconnus. À cette nouvelle, l'atrabilaire professeur s'était effondré, terrassé par un malaise subit qui avait beaucoup inquiété ses pairs. Une fois remis, il avait refusé toute idée de rencontre avec le frère d'Ewilan et n'avait plus jamais évoqué sa passion. Du moins en public.

Maître Vorgan les recevait ce matin-là au sommet d'une tour de jade se dressant non loin des remparts d'Al-Jeit, vertigineuse construction fouettée par le vent du sud qui, depuis une semaine, soufflait en continu en apportant les effluves iodés du Grand Océan.

Bras croisés, le visage impénétrable, il les observa se matérialiser autour de lui. Lorsqu'ils furent tous présents, il les toisa comme pour les défier de lui refuser la concentration absolue qu'il requérait, puis commença son cours d'une voix cassante où il aurait été vain de chercher une trace de sensibilité.

– Votre dernière année à l'Académie s'achève et il ne me reste qu'une poignée d'heures pour parfaire vos connaissances. Nous ne perdrons donc pas de temps en discours et débuterons directement par l'exercice que j'ai préparé. Effectuer un pas sur le côté nécessite un pouvoir important mais pas de profonde incursion dans l'Imagination, nous en avons déjà parlé. En revanche, enchaîner le plus rapidement possible une succession de pas exige une somme d'énergie qui va croissant et qui peut vous conduire à monter très haut dans les Spires. Pour illustrer cette réalité, j'ai placé dans chacun des dix derniers lieux où nous nous sommes retrouvés une plaque de bois marquée à votre nom. Vous devrez récupérer ces plaques aussi vite que possible et revenir ici. Des questions ? Oui, Nalio ?

– Qu'adviendra-t-il si nous sommes incapables de monter suffisamment haut ?

L'étudiant roux était le moins doué du groupe et doutait visiblement de son aptitude à terminer l'exercice avec succès.

– Que voulez-vous qu'il se passe ? jeta maître Vorgan avec un haussement de sourcils dédaigneux. Je vous ai expliqué que les hautes Spires ne servent qu'à aller vite. Si vous demeurez dans les Spires inférieures, vous irez lentement. Voilà tout ! Pourquoi affichez-vous ce sourire stupide ?

Maître Vorgan, surpris, dévisageait ses élèves qui avaient toutes les peines du monde à garder leur sérieux. Il n'avait aucune conscience de l'image que Nalio venait de dessiner au-dessus de lui.

Un magnifique escargot à la coquille bleutée !

Lisys adressa un discret clin d'œil à ses camarades et la coquille du gastéropode prit la teinte de la robe du professeur. Ewilan se glissa à son tour dans l'Imagination et sous les cornes de l'escargot apparut le visage de maître Vorgan auquel Liven ajouta des cernes et une langue pendante. La goutte de transpiration tracée par Kamil fut la goutte de trop pour Ol qui éclata de rire.

– Cessez immédiatement ! s'emporta le professeur. Par le sang des Figés, que vous arrive-t-il ?

– La tension nerveuse, monsieur, expliqua Lisys. Ol a sans doute peur de rater son test.

– Et de se déplacer comme un ridicule escargot, ajouta Nalio, générant ainsi chez ses camarades un irrépressible fou rire.

La série de jurons coléreux que poussa le professeur, loin de calmer les étudiants, redoubla leurs rires et il fallut de longues minutes avant qu'un calme relatif ne revienne. Maître Vorgan prit une profonde inspiration.

– Je mets ce comportement absurde sur le compte du stress causé par la proximité de vos examens, lança-t-il d'une voix que la colère, difficilement contenue, faisait trembler. Pour cette fois je ne sévirai pas mais soyez prudents, vous avez atteint mes limites. Avez-vous compris ?

Les sept étudiants hochèrent la tête en se composant des mines penaudes qui tirèrent un rictus satisfait au professeur.

– Je vous préfère ainsi. Bon, puisque vous voilà redevenus sensés, passons à l'exercice.

Ewilan n'avait jamais eu l'occasion de se livrer à l'expérience proposée par maître Vorgan. Effectuer un pas sur le côté lui avait toujours paru très facile, et elle était curieuse de découvrir si en enchaîner plusieurs lui demanderait un effort important. Alors qu'elle s'appliquait d'ordinaire à ne pas se distinguer, elle se jeta avec enthousiasme dans l'Imagination lorsque le professeur donna le signal convenu.

Elle se matérialisa la première dans la pièce où ils avaient travaillé la veille. Des plaques de bois étaient posées en évidence sur une table devant elle. Elle saisit la sienne au moment où Liven apparaissait près d'elle. Il ouvrit la bouche pour la saluer, Ewilan n'était déjà plus là.

Récupérer les quatre premiers témoins fut un jeu d'enfant mais, au cinquième pas sur le côté, Ewilan dut affermir sa volonté et se hisser un peu plus dans les Spires pour conserver son rythme. Au sixième pas, il lui apparut évident que maître Vorgan avait raison. Jamais, même pour un grand pas, un déplacement n'avait requis un tel pouvoir. Elle sentait confusément, lors de ses immersions dans l'Imagination, la présence de ses amis autour d'elle. Eux aussi montaient dans les Spires et elle se demanda si Nalio allait tenir la cadence.

La dernière plaque se trouvait sur le socle d'une statue dans la crypte où ils s'étaient réunis dix jours plus tôt. Elle la saisit, consciente que Liven et Kamil la talonnaient. Elle se propulsa une nouvelle fois dans l'Imagination. Elle était loin d'avoir atteint les Spires qu'elle avait arpentées la veille en suivant Illian, mais elle se trouvait pourtant bien plus haut qu'elle ne l'aurait cru nécessaire pour un simple pas sur le côté. Elle se figea soudain.

La falaise noire se dressait devant elle !

Une falaise noire qui ressemblait davantage à une monstrueuse méduse qu'à une muraille de pierre !

Une méduse monstrueuse qui s'était déplacée en direction des Spires basses ! Elle bouchait de sa masse l'horizon des possibles et des milliers de tentacules sombres fouettaient les Spires devant elle.

Une vague de terreur absolue déferla sur Ewilan. Difficile la veille, la vision de cette abomination était désormais insoutenable. Il s'en dégageait des ondes malveillantes qui lui donnèrent l'impression d'être une mouche prise dans une toile démoniaque. Son pas sur le côté était presque achevé, Ewilan puisa en elle une énergie insoupçonnée et, son cœur battant à tout rompre, quitta l'Imagination.

Elle se matérialisa au sommet de la tour de jade et s'effondra aux pieds d'un maître Vorgan stupéfait. D'incoercibles sanglots secouaient sa poitrine alors que son esprit refusait la réalité de ce qu'elle avait vu, exigeant qu'elle s'éveille de ce qui ne pouvait être qu'un cauchemar. Le maître dessinateur tentait de la calmer lorsque, un à un, les étudiants apparurent. D'abord Liven, le visage exsangue, les traits pétrifiés dans un rictus de panique, Kamil qui cherchait désespérément à retrouver sa respiration, puis les autres, exténués, bouleversés.

Il leur fallut de longues minutes pour qu'ils se remettent de leurs émotions et parviennent à tenir un discours à peu près cohérent à maître Vorgan. Tous avaient vu la chose, tous avaient été assaillis par le sentiment de danger extrême qui s'en dégageait. Liven essayait de mettre des mots sur son émotion lorsqu'un cri de Lisys lui coupa la parole :

– Nalio ! Où est Nalio ?

13

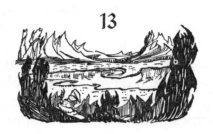

Les dessinateurs se sont approprié l'Imagination, la liant dans la conscience collective au don qu'ils possèdent. Et si l'Imagination était bien plus que cela ? Une porte vers des ailleurs que même les plus doués d'entre eux ne perçoivent pas ?

Maître Carboist, *Mémoires du septième cercle*

Salim ouvrit les yeux pour les refermer aussitôt. Une effroyable migraine ravageait l'intérieur de son crâne et la lumière, pourtant ténue, lui était intolérable.

– Ça va passer, ne t'inquiète pas, fit la voix d'Ellana juste à côté de lui, ces imbéciles ont forcé la dose. Respire à fond en rejetant les épaules en arrière, voilà, c'est ça !

La douleur reflua et il put soulever les paupières sans que son mal de tête dépasse les limites du supportable. Vêtu d'habits trop larges, il était couché sur une planche de bois fixée à mi-hauteur d'un mur de pierre luisant d'humidité. Assise par terre face à lui, Ellana le regardait, le visage indéchiffrable.

Leur cachot, car il s'agissait bien d'un cachot, à peine plus grand qu'un placard, était divisé en deux par des barreaux épais comme le poignet. Ellana et Salim se trouvaient d'un côté, la porte, basse et bardée de fer, se dressait de l'autre. Inaccessible. Les seules lueurs provenaient d'une ouverture circulaire d'une vingtaine de centimètres de diamètre dans le plafond, au-dessus de leur tête, et de sa jumelle dans la deuxième partie de la cellule. Une dalle de granit sans joints tenait lieu de sol et, la couchette de Salim mise à part, il n'y avait pas le moindre meuble.

– Où sommes-nous ? demanda Salim en s'asseyant avec une grimace.

– Dans la chambre de l'Empereur !

– Belle tentative d'humour. Et à part ça ?

– Dans une geôle de la guilde. Le sous-sol d'Al-Jeit est truffé de souterrains, de passages dérobés et de salles secrètes dont la plupart ne sont connus que des marchombres. Le conseil a apparemment mis celle-ci à notre disposition en attendant que je comparaisse devant lui.

– Comment nous ont-ils jetés là ? Il n'y a pas de porte, pas de serrure !

– Placer une marchombre dans une cellule fermée par une porte, même verrouillée, n'aurait pas grand sens ! Les barreaux coulissent vers le haut et le mécanisme qui les bloque est hors d'atteinte. Simple et efficace.

– Ils ne se relèvent pas lorsqu'on nous apporte à manger ?

Ellana laissa échapper un rire.

– Les geôles de la guilde sont vides la plupart du temps mais lorsqu'elles abritent un détenu, on fait en sorte qu'il ne se croie pas dans une auberge de luxe. Les repas, si on peut les appeler ainsi, sont servis tous les deux ou trois jours dans un seau qui descend de là-haut.

– Et... nos besoins naturels ?

– Par terre.

– Par terre !

– Oui, ou dans le seau lorsque tu l'as vidé, sauf que tu n'as aucune certitude qu'il soit nettoyé entre deux repas.

Salim eut un haut-le-cœur.

– Je pensais que les marchombres étaient épris de liberté !

– Ils le sont.

– Et ils enferment les gens dans des trous puants ?

– Ça, mon garçon, ce n'est pas la volonté des marchombres mais celle du conseil. Depuis la création de la guilde, il y a bien longtemps, le conseil est formé de marchombres choisis pour leur sagesse et leur expérience. Ils ont un rôle de guides, parfois de médiateurs, et leur pouvoir repose sur un respect réciproque. Je te raconte cela au présent mais je devrais utiliser l'imparfait. Il y a quelques années, profitant des troubles qui agitaient Gwendalavir, des marchombres indignes de cet honneur ont réussi à infiltrer le conseil. Ils l'ont insidieusement dévoyé, s'octroyant des droits qu'ils n'auraient jamais dû posséder, inventant de nouveaux codes et recourant à la coercition pour se faire respecter. Nous sommes des individualistes nés, la plupart d'entre nous n'ont pas prêté attention à ces manigances et, désormais, le pouvoir du conseil est bien en place. Il s'appuie sur certains marchombres dénués de scrupules comme Jorune et sur la pusillanimité des autres. Tu as choisi comme professeur l'une des rares mar...

93

La serrure de la porte cliqueta. Ellana se tut. Elle resta immobile mais Salim, qui la connaissait bien, savait qu'elle était tendue comme un arc. D'infranchissables barreaux avaient beau s'élever devant elle, elle était prête à profiter de la moindre opportunité. Malheur à celui qui la lui offrirait...

Les gonds grincèrent lorsque l'huis de bois pivota. Une haute silhouette pénétra dans la cellule, se courbant pour en franchir le seuil avant de se redresser et d'écarter la cape dans laquelle elle était drapée. Ellana lui jeta un coup d'œil avant de tourner la tête vers Salim.

– Je te présente Riburn Alqin, cracha-t-elle d'une voix cinglante de mépris. L'homme qui te fait face a toujours rêvé de devenir un marchombre mais, malgré ses efforts incessants, il n'a jamais réussi à être autre chose qu'un navet fétide. Il est maladroit, lent et dramatiquement stupide. Ah, j'oubliais, il siège au conseil de la guilde. Le portrait te paraît fidèle Riburn ? Je n'ai pas mentionné ton odeur, ton ignorance totale de l'art amoureux qui te conduit à préférer les chèvres aux femmes, ta mesquinerie, ta couardise et la multitude de travers qui font de toi l'être le plus vil de tout Gwendalavir... j'aurais craint de te flatter.

Riburn Alqin avait blêmi tout au long de la tirade d'Ellana. C'était un bel homme, âgé d'une cinquantaine d'années, à l'allure altière. Il portait avec arrogance une fine barbichette taillée en pointe et ses cheveux étaient soigneusement plaqués en arrière. Il dégageait une impression de calme autorité mais, lorsque la marchombre eut achevé son massacre verbal, il tremblait de colère.

– Espèce de succube inique, balbutia-t-il. Tu seras moins volubile lorsque notre sentence tombera. Demain tu seras morte tandis que je chevaucherai encore les vents.

Ellana, qui n'avait pas daigné se lever pour l'invectiver, éclata de rire.

– Arrête, Riburn, je t'en prie ! Les seuls vents que tu connaisses sont ceux produits par tes intestins putrides. Laisse la poésie aux marchombres et contente-toi d'être méprisable.

Les yeux luisants de rage, Riburn Alqin empoigna les barreaux, voulut proférer une insulte... Ellana bondit, passant d'une totale immobilité à une action éblouissante de sauvagerie. Ses griffes étincelèrent tandis que son bras fusait entre deux barreaux.

Riburn ne dut qu'à un prodigieux réflexe de ne pas finir égorgé. Il se jeta en arrière et porta la main à sa joue. Trois profondes coupures ruisselantes de sang barraient son visage, de l'œil jusqu'au menton.

Ellana se rassit avec un grognement déçu.

– Un petit souvenir, railla-t-elle. Sais-tu que désormais j'empoisonne mes lames ?

Riburn Alqin sursauta, son regard s'affola.

– Tu mens, n'est-ce pas ? s'écria-t-il.

Ellana cracha par terre et détourna la tête. Salim fut donc le seul à apercevoir une femme menue à l'apparence fragile, vêtue de vêtements de cuir semblables à ceux d'Ellana, qui se faufilait dans la cellule. Elle semblait flotter au-dessus du sol tant sa démarche était fluide et silencieuse.

– Tu mens ! Je sais que tu...

La femme avait posé le bout de ses doigts sur le cou de Riburn Alqin. L'homme s'effondra comme une poupée de chiffon. Au bruit de sa chute, Ellana bondit sur ses pieds.

– Qui es-tu ? lança-t-elle.

L'inconnue ne répondit pas. De son pas aérien elle s'approcha de la grille, offrant aux regards stupéfaits de Salim et Ellana un visage sillonné de rides, une chevelure blanche mousseuse et des mains tavelées par l'âge. Elle engagea un bras entre deux barreaux, y glissa l'épaule et son corps suivit comme si elle avait été d'eau et non de chair. Elle se dressa à côté de la marchombre, un sourire étrangement juvénile aux lèvres.

– Tu ne me reconnais pas ? demanda-t-elle d'une voix mélodieuse qui s'accordait mal avec son âge et son apparente fragilité.

– Comment êtes-vous passée entre les barreaux ? intervint Salim. S'ils sont espacés de quinze centimètres, c'est le maximum !

La vieille femme se tourna vers lui. Ses yeux de jais parurent le transpercer et son sourire s'élargit.

– Enfin un apprenti qui ne sonne pas creux, se réjouit-elle. Je commençais à désespérer des marchombres... Ellana, ma fille, approche-toi.

La jeune femme, subjuguée, obéit. L'inconnue avait saisi un barreau. Délicatement, presque avec tendresse.

– Pose ta main sur la mienne, oui, comme cela. Sens-tu l'acier qui vibre ? Ton âme perçoit-elle son chant ? Observe maintenant et apprends.

Loin au-dessus d'eux il y eut un déclic. Lentement le barreau s'éleva. Il devait peser un poids énorme, pourtant la vieille femme le soulevait sans le moindre effort. Un infime mouvement du poignet et il se verrouilla à mi-hauteur de sa course.

– À ton tour.

Le temps semblait s'être arrêté. Riburn Alqin gisait toujours au sol, immobile, Salim était muet et Ellana paraissait avoir basculé dans un état second. Elle lâcha la main de la vieille femme comme à regret et referma ses doigts sur le barreau voisin. À nouveau le déclic retentit. En douceur, Ellana souleva la barre métallique jusqu'à ce qu'elle se verrouille au niveau de l'autre.

– C'était parfait, commenta l'inconnue. Je m'y attendais, je n'ai jamais douté de toi. Puisses-tu longtemps chevaucher la brume.

Elle leur tourna le dos, se coula dans l'ouverture et s'approcha de la porte. Ses derniers mots atteignirent enfin la conscience d'Ellana.

– Ellundril! s'exclama-t-elle. Vous êtes Ellundril Chariakin!

La vieille femme pivota vers elle, un large sourire barrant son visage raviné.

– Bien, ma fille, bien.

– Mais, hoqueta la marchombre, vous n'existez pas. Vous êtes une légende!

– Qui prétend que les légendes n'existent pas? Pas toi, j'espère… Rassure-toi, je ne suis pas une apparition. J'existe et nous nous reverrons bientôt. Très bientôt.

Elle franchit le seuil sans paraître bouger et disparut dans le couloir. Ni Ellana ni Salim ne s'élancèrent à sa suite.

Ils savaient qu'ils ne la rattraperaient pas.

14

Mer des Brumes : Trois cents jours par an, la mer des Brumes est noyée dans un brouillard dense qui interdit toute navigation. Le reste du temps, elle est agitée par des tempêtes titanesques.

Encyclopédie du Savoir et du Pouvoir

Le cri de Lisys stoppa net les pleurs et les gémissements des étudiants. La première, Ewilan réagit. D'un geste rageur elle s'essuya les yeux.

— J'y retourne, lança-t-elle aux autres.

— Tu retournes où ? s'inquiéta Liven en lui saisissant le bras.

— Dans les hautes Spires.

— C'est trop dangereux ! Tu as vu ce qui s'y trouve ?

— Je ferai attention. Toi, regagne la crypte où nous avons récupéré notre dernière plaque. Si Nalio s'est fait surprendre, son corps doit être resté près de la statue.

Sans plus attendre, elle se propulsa dans l'Imagination. Elle monta aussi vite que possible vers le lieu où elle savait désormais trouver la chose. Comme chaque fois qu'elle s'engageait loin dans les Spires, elle n'avait qu'une conscience floue de ce qui se passait autour d'elle sur la tour. Elle percevait en revanche avec acuité l'univers des possibles qui s'ouvraient à elle bien que, pour une fois, elle n'en tirât aucune joie.

La méduse était là où elle l'avait aperçue quelques minutes plus tôt. Ewilan s'arrêta à distance respectueuse, contemplant avec effroi les tentacules sombres qui fouaillaient les Spires. Elle ne découvrit aucune trace de Nalio. Refusant de céder à la panique qui pulsait dans chacune de ses cellules, elle s'approcha de la méduse en ne conservant qu'une infime marge de sécurité. L'extrémité d'un tentacule siffla à moins d'un mètre de son visage, exhalant des miasmes qui la firent frémir. Si Nalio était arrivé jusqu'ici, il ne restait aucune trace de son passage. Ewilan se résigna à quitter l'Imagination.

Personne ne lui prêta attention lorsqu'elle reprit contact avec la réalité. Ses amis entouraient Liven, agenouillé près du corps de Nalio. Aucun d'eux ne parlait ou ne bougeait. Maître Vorgan se tenait immobile et silencieux à côté d'eux. Une rafale de vent tiède ajouta à la scène une note étrangement dissonante et Kamil tourna vers Ewilan un visage ruisselant de larmes.

– Nalio est mort, Ewie.

L'annonce fit l'effet d'un coup de tonnerre à l'Académie. Après un premier moment d'intense agitation marqué par une tempête de questions sans réponses, les cours furent annulés et les élèves des premières années renvoyés chez eux.

Maître Elis fit face à la situation avec un sang-froid impressionnant. Il guida Ewilan et ses compagnons, qui subissaient de plein fouet le contrecoup du drame, dans une pièce tranquille où leur fut servie une infusion au goût marqué. La boisson devait contenir un extrait de plante aux vertus calmantes car, rapidement, leurs pleurs se tarirent et ils purent à nouveau se regarder sans s'effondrer.

Maître Duom arriva sur ces entrefaites. Il était pâle, décomposé, et but d'un trait la tasse de décoction que lui tendait maître Elis. Il se tourna ensuite vers Ewilan et la fixa droit dans les yeux.

– Raconte, ordonna-t-il.

Cherchant ses mots, puisant de la force dans la présence de ses amis, bafouillant parfois, elle s'exécuta. Lorsqu'elle eut fini, le visage de l'analyste de pâle était devenu livide.

– Je ne suis qu'un bougre de rejeton de Raï scrofuleux ! s'exclama-t-il. J'aurais dû m'alarmer hier lorsque tu m'as rapporté la mésaventure d'Illian, mais elle s'était déroulée si haut dans les Spires que je n'y ai pas vu de danger immédiat. C'était pourtant évident ! Si cette chose est arrivée dans l'Imagination, c'est qu'elle peut s'y déplacer…

Maître Vorgan, qui n'avait pas prononcé trois mots depuis leur retour à l'Académie, intervint d'une voix ferme :

– Le terme est mal choisi. Après l'accident, je me suis enfoncé dans l'Imagination pour mesurer la gravité de la situation. La méduse, comme l'appelle Ewilan, progresse vers les Spires basses en barrant complètement le passage. Il est impossible de la contourner. Elle n'effectue pas un déplacement, mais une véritable invasion !

Ses paroles furent suivies d'un silence pesant que Liven finit par rompre d'une voix que l'angoisse faisait trembler.

– Cela veut dire que...

– ... l'Imagination n'est plus sûre ! acheva maître Duom. Nous allons utiliser le réseau de communication de l'Empire pour avertir tous les dessinateurs capables d'atteindre les Spires où rôde la méduse. Dans notre malheur, nous avons de la chance, elle se déplace lentement et ses tentacules sont courts. Nous pouvons essayer de...

– De la chance ! explosa Kamil. Vous parlez de chance alors que Nalio est mort, dévoré par cette abomination ? Votre langue fonctionne-t-elle plus vite que votre cerveau ou votre cœur est-il aussi sec que le désert Ourou ?

– Du calme, jeune fille ! la modéra maître Duom. Quoi que je ressente, je ne peux malheureusement pas m'accorder le luxe du chagrin. La disparition de Nalio a beau être affreuse, elle ne pèse rien face aux dangers qui menaceront l'Empire si l'Imagination nous échappe.

– Que voulez-vous dire ? demanda Liven.

– La sécurité de Gwendalavir et de ses habitants repose sur le Dessin et uniquement sur lui. Avez-vous oublié ce qu'il a failli advenir de nous lorsque les Ts'liches tenaient les Spires ?

– Les Raïs... murmura Ol.

– Les pirates alines... fit Lisys en écho.

– Et les mercenaires du Chaos, les Ts'liches survivants ! renchérit maître Duom. La guerre, la famine, l'esclavage... Acceptez donc que je parle de chance quand la situation nous offre le temps d'analyser le danger et de lui trouver une parade.

– Vous comptez attaquer la méduse ? s'étonna Shanira en posant une main amicale sur l'épaule de Kamil qui s'apprêtait à répliquer.

– L'Imagination est à la source de nos dessins, lui rappela maître Elis, mais en aucun cas ils ne peuvent s'y concrétiser. Une attaque frontale est donc difficilement envisageable. Nous devons comprendre d'où vient cette chose et, au cas où elle serait dotée d'une conscience, quels sont ses buts. Ce savoir nous apportera peut-être la clef qui nous fait défaut.

– Pourquoi les Sentinelles ne l'ont-elles pas détectée ? demanda soudain Liven. N'est-ce pas leur rôle de surveiller les Spires ?

– Nous avons un problème avec les Sentinelles, admit maître Elis. Il ne nous appartient toutefois pas de vous en révéler davantage.

– Mes parents sont des Sentinelles, s'indigna Ewilan. Je n'accepterai aucun sous-entendu... De quel problème parlez-vous ?

Maître Elis se frotta les mains d'un air gêné.

– Loin de moi l'idée d'insinuer quoi que ce soit au sujet de vos parents, Ewilan, se défendit-il. La mission qui leur a été confiée par l'Empereur en personne les empêche d'assurer leur tâche habituelle, chacun ici en a conscience.

– Il en reste tout de même huit, insista Liven, et vu la taille de la méduse, elles sont singulièrement distraites pour ne pas l'avoir remarquée !

Maître Duom se racla la gorge et, après avoir lancé un regard à ses pairs, prit la parole.

– Les Sentinelles, Altan et Élicia Gil' Sayan mis à part, ont compris que l'Empereur ne leur pardonnerait jamais leur attitude durant l'épisode ts'lich. Il n'attend qu'une occasion propice pour les remplacer et elles le savent. En conséquence, elles ne s'impliquent plus dans leur mission. Je ne serais pas étonné qu'elles aient cessé de scruter l'Imagination depuis un bon moment.

Les paroles de l'analyste plongèrent le groupe dans une discussion chaotique où chacun donnait son avis sans écouter les autres. Le ton monta jusqu'à ce que Kamil pousse un cri rauque et s'effondre en larmes. Shanira qui était assise près d'elle la prit dans ses bras et, doucement, le bruit décrut. Un silence gêné s'installa, ponctué par les sanglots de Kamil et les chuchotements de Shanira à son oreille.

– Vous avez besoin de repos, intervint maître Elis. Vos proches ont certainement hâte de vous retrouver. Quant à nous, il est de notre devoir de réconforter la famille de Nalio. Je propose que nous nous rejoignions demain, ici même, pour faire le point ensemble.

Un murmure d'assentiment lui répondit et un à un, les étudiants se levèrent pour sortir. Maître Duom attrapa Ewilan par l'épaule alors qu'elle passait devant lui.

– Je suis désolé, lui annonça-t-il, mais Edwin a demandé à te voir. Nous avons reçu des nouvelles de Bruno Vignol. Nous avons besoin de toi.

15

Songespoir, flammèches ignées talées par l'allubrillance des pyrocarbonides. Envol de feu, fracas de l'acier sur l'ambre du Vouloir. Larmes de métal brûlant s'infiltrant dans l'espace sans limite d'une conscience incandescente.

Chant du Dragon

La première, Ellana se coula entre les barreaux. Elle s'agenouilla près de Riburn Alqin toujours inconscient et le fouilla rapidement. Elle le délesta d'un poignard à lame large qu'elle passa à sa ceinture et d'une dague qu'elle lança à Salim. Elle tira ensuite d'une poche de l'homme quatre étoiles d'acier aux bords aussi tranchants que le fil d'un rasoir.

– J'ai déjà vu des trucs comme ça dans le monde d'où je viens, souffla Salim, mais c'était dans des films de kung-fu ! Tu sais t'en servir ?

La marchombre répondit par un haussement d'épaules et glissa les étoiles dans sa manche. Elle se redressa puis, avec une grimace, désigna du bout du pied le trousseau de clefs accroché à l'intérieur de la cape de Riburn.

— Des clefs! cracha-t-elle avec dégoût. Ce type est obscène! Je me demande si je ne vais pas lui couper les...

— Ellana!

— ... oreilles. Il le mériterait, tu ne crois pas?

— Je l'ignore mais je sais en revanche que nous n'avons pas intérêt à moisir ici. Tu crois que la vieille femme qui nous a aidés le fera encore?

— Je ne suis même pas sûre de l'avoir réellement vue, répondit Ellana. Ellundril Chariakin n'est pas censée exister. Les marchombres citent ses exploits et ses paroles depuis des générations mais tous la considèrent comme une figure de légende, le modèle auquel nous aspirons. Rien d'autre.

— Elle a pourtant bel et bien réduit Riburn à l'impuissance et soulevé les barreaux!

— Je sais, elle m'a montré comment l'imiter et mes mains se souviendront longtemps du chant de l'acier et du contact de ses doigts. Ça n'en reste pas moins difficile à accepter. Nous allons sortir de cet endroit par nos propres moyens, d'accord?

Ils se glissèrent comme deux ombres hors du cachot. Étroit, humide, le couloir qui s'ouvrait devant eux était ponctué de portes semblables à celle qu'ils venaient de franchir, fermées sur des geôles que Salim espérait vides. Une maigre lumière tombait de trous au plafond, identiques à ceux de la cellule. Ellana désigna d'un signe de tête l'escalier qui s'élevait à une des extrémités du couloir. Ils s'y engagèrent.

Les marches glissantes s'enroulaient autour d'un axe central en pierre sombre. Ellana les grimpa sur la pointe des pieds, attentive à ne pas faire le moindre bruit, les doigts fermés sur le manche de son poignard. Salim la suivit en imitant sa démarche souple et silencieuse. Ils parvinrent à l'entrée d'une salle assez vaste dont l'absence de fenêtres et les murs taillés dans la roche révélaient la nature souterraine. Trois sphères lumineuses placées au plafond diffusaient une clarté suffisante pour qu'aucun recoin ne reste dans l'obscurité. Deux des hommes qui les avaient kidnappés étaient assis à une table et jouaient aux cartes, quelques pièces jetées entre eux.

Ellana adressa un clin d'œil à Salim et, d'un mouvement sec du poignet, fit tomber une paire d'étoiles métalliques de sa manche dans sa paume ouverte. Il sentit un frisson d'inquiétude lui parcourir le dos. Ces types avaient beau être des assassins en puissance, son amie ne pouvait tout de même pas les liquider de sang-froid !

Il n'eut pas le temps de s'émouvoir davantage. Ellana fléchit les genoux et, d'une détente sauvage, bondit à la verticale. À l'instant où les hommes abattaient leurs cartes, son bras fouetta l'air, les deux étoiles jaillirent de ses doigts. Elles tournoyèrent en une trajectoire étincelante puis se fichèrent dans la table avec un bruit mat, clouant la main des joueurs sur le plateau de bois.

Les hommes poussèrent un hurlement où la stupeur le disputait à la souffrance. Déjà Ellana était sur eux. Ils voulurent se lever mais les étoiles les retenaient plus sûrement que des chaînes. Ils ne purent rien faire lorsque la marchombre frappa leur nuque du tranchant de sa main. L'un après l'autre, ils s'affaissèrent sur la table.

— Ces étoiles de jet sont juste bonnes à épingler la vermine, constata Ellana, mais elles le font bien.

Elle jeta un coup d'œil autour d'elle et s'approcha de la cheminée qui se dressait dans un coin de la pièce. Un feu avait dû être allumé durant la nuit car des restes de bûches à moitié consumées et encore chaudes occupaient le foyer. Ellana saisit un morceau de charbon de bois et, avec de grandes lettres vigoureuses, traça un message sur un des murs :

« Envol irrésistible

Lame nue au tranchant ardent

Promesse. »

Elle recula d'un pas, contempla son œuvre en souriant d'un air satisfait.

– Je doute que ces imbéciles du conseil comprennent la poésie marchombre mais je suis certaine que quelqu'un, sans doute Jorune, leur traduira ma pensée.

– Je la comprends, moi, ta pensée, remarqua Salim. Tu leur annonces que tu vas revenir pour leur mettre la tronche en bouillie.

– Ce n'est pas exprimé très élégamment, mais c'est à peu près ça.

– Dis, Ellana, puisque je suis un apprenti marchombre, je peux moi aussi écrire un mot aux types du conseil, non ?

Sans attendre de réponse et sans s'offusquer de la grimace d'expectative qui s'était peinte sur le visage d'Ellana, il s'empara du charbon qu'elle avait abandonné.

« Crocs brillants

Reflet de lune exubérant

Noir retour. »

Imitant Ellana, il recula d'un pas.

– Qu'en penses-tu ?

Elle lui ébouriffa les cheveux dans un geste plein d'affection.

– Je pense que je suis heureuse de t'avoir rencontré et particulièrement fière de te former !

Salim sentit son cœur se gonfler à exploser et ses joues s'empourprèrent.

– Il faudrait peut-être qu'on y aille, non ? proposat-il pour se donner une contenance.

Ils se mirent en route, Ellana ouvrant le chemin de sa démarche souple. Ils empruntèrent un nouvel escalier qui les conduisit au niveau du sol, traversèrent une enfilade de pièces vides puis la marchombre poussa une porte dérobée et ils se retrouvèrent dans une ruelle déserte.

– Nous allons nous séparer deux heures, annonça Ellana. La situation risque d'être intenable pour nous pendant quelque temps à Al-Jeit et je dois prendre les contacts nécessaires afin de préparer notre départ... et notre retour. Rendez-vous devant le palais au moment du repas, d'accord ?

Salim acquiesça et ils s'éloignèrent chacun de leur côté.

Une fois seul, Salim se demanda s'il avait le temps d'aller voir Ewilan. Il savait qu'on ne le laisserait certainement pas entrer dans l'enceinte de l'Académie mais il décida de tenter sa chance. Il partit d'un bon pas dans les rues de la capitale, se faufilant avec aisance entre les étals où se pressaient des groupes d'Alaviriens.

Il venait de dépasser une impressionnante fontaine de quartz poli lorsqu'un discret sifflement retentit. Salim dressa l'oreille. Le sifflement retentit à nouveau, plus long cette fois.

Non, ce n'était pas un sifflement, plutôt un chant, une mélopée qu'il avait déjà entendue, il en était certain. Il jeta un coup d'œil dans la traverse qui s'ouvrait sur sa droite. Le son provenait de là, il l'aurait juré. Dommage qu'il n'ait pas le temps d'aller y voir de plus près. Il se détourna ou plutôt voulut se détourner. Comme déconnectées de sa volonté, ses jambes l'entraînèrent dans la ruelle.

Après une seconde de surprise totale, Salim réagit. Pas question qu'il se laisse hypnotiser sans se rebiffer ! Il banda ses muscles, leur ordonnant de s'arrêter, tenta de crocheter une prise, de saisir un appui... Ses efforts ne servirent à rien et il s'enfonça entre deux rangées de bâtisses si proches qu'il aurait pu les toucher en tendant les bras. Pour peu que le chant qui s'était emparé de sa volonté lui en ait accordé le droit !

Il comprit lorsqu'une silhouette connue se profila devant lui.

Jorune.

Le chant des marchombres.

Le chant par lequel Ellana avait dompté Artis Valpierre puis, plus tard, un pirate aline dans l'archipel du Sud.

Technique réservée aux meilleurs éléments de la guilde, le chant marchombre permettait de prendre le contrôle d'un adversaire, comme un serpent charme sa proie avant de la tuer. La mélopée sortait des lèvres de Jorune, irrésistible, et Salim, bien que certain d'aller à la mort, ne pouvait qu'obéir, s'approcher du poignard que l'homme avait tiré de sa ceinture.

Salim lutta pourtant à chaque pas, lutta pour reconquérir sa liberté, lutta pour sa vie, imaginant fiévreusement un plan pour se sauver...

Alors que cinq mètres à peine le séparaient de Jorune, il trouva. Il se fondit dans la part animale qui vivait en lui. Il devint loup.

Il n'était pas sûr que cela fonctionnerait, le chant marchombre était certainement capable de prendre le contrôle d'un loup mais il comptait sur l'effet de surprise pour se libérer de l'emprise de Jorune. À son grand soulagement, alors que sa transformation s'achevait, il fut à nouveau libre. En un éclair, il comprit deux choses. Primo : s'il s'enfuyait, le chant le rattraperait avant qu'il soit hors d'atteinte. Secundo : s'il se contentait de passer à l'attaque, Jorune le vaincrait sans difficulté. Le marchombre était trop fort pour commettre une erreur exploitable, même par un loup. Il fallait le surprendre.

En trois bonds, le loup fut sur Jorune. Comme il s'y attendait, le marchombre ne marqua pas la moindre hésitation. Il fléchit les jambes pour faire face à cet adversaire inattendu, baissa la pointe de son poignard afin de le placer à la hauteur du poitrail de l'animal, ajusta ses appuis, son équilibre et... se retrouva avec un garçon de soixante kilos dans les bras ! Salim s'était encore transformé.

Jorune n'eut pas le temps d'utiliser son poignard. Salim avait noué ses mains derrière le cou du marchombre stupéfait et remonté un genou avec toute la violence dont il était capable, percutant Jorune au plus sensible de son anatomie. Sans tenir compte du grognement de souffrance poussé par son adversaire, Salim affermit la prise sur sa nuque, contracta ses muscles et se mit en boule avec une énergie décuplée par la peur. Jorune se plia en deux et les genoux serrés de Salim emboutirent son visage, lui explosant le nez avec un bruit écœurant, lui brisant les dents et la mâchoire. Le marchombre devint aussi mou qu'une poupée de chiffon et, lorsque Salim le lâcha, il s'effondra pour ne plus bouger.

Le garçon jeta un coup d'œil autour de lui. La traverse était toujours déserte, mais quelqu'un pouvait surgir à tout moment. Il se mit à l'ouvrage le plus rapidement possible. Lorsqu'il s'éloigna, vêtu d'élégants vêtements de cuir, il laissait derrière lui un petit homme au visage tuméfié, inconscient.

Nu comme un ver.

16

Courbes innées en ondoyantes circonvolutions. Onde infinie
gourgeoyante d'harmonie plongée au cœur des océans d'étoiles.

Chant de la Dame

– Je suis désolé pour ce qui s'est passé.

Edwin, d'ordinaire réservé, avait pris Ewilan dans
ses bras dès son arrivée et, après l'avoir serrée contre
lui, la regardait avec sollicitude. Il la sentait épuisée
et rageait de devoir requérir son aide alors qu'elle
aurait eu avant tout besoin de prendre du repos.

– Je connais les parents de Nalio, poursuivit-il. La
nouvelle a dû les terrasser mais toi, tu ne dois pas te
laisser abattre.

– Je sais, murmura-t-elle. C'est dur. Très dur. Nalio
était un ami, même si je le connaissais peu. C'est si
difficile d'accepter sa disparition. Il y a également la
chose, là-bas dans les Spires. La méduse. Elle est
tellement mauvaise...

Edwin jeta un coup d'œil à maître Duom qui hocha
la tête.

113

– Les Sentinelles vont s'en occuper, reprit le maître d'armes. Elles auraient dû la repérer avant cet accident, bien sûr, mais maintenant qu'elles sont alertées je suis certain qu'elles vont régler le problème.

– On voit que tu ne l'as jamais rencontrée, souffla Ewilan. Les Sentinelles n'ont aucune chance.

Edwin fit comme s'il n'avait rien entendu. Il avait trop conscience de ses responsabilités pour s'écarter de l'objectif qu'il s'était fixé.

– J'ai requis ta présence parce que nous avons besoin de toi, expliqua-t-il d'une voix ferme. Il n'y a toutefois pas d'urgence et je comprendrais que tu préfères reporter à demain le travail pour lequel nous te sollicitons.

Ewilan eut un sourire amer.

– J'ai essayé vingt fois d'obtenir une audience du maître d'armes de l'Empereur mais tu es un homme très pris et tu n'as pas daigné me recevoir.

– Je...

– Non, laisse-moi parler. Je vais t'apporter l'aide dont tu as besoin. En échange, tu écouteras ce que j'ai à te demander. Tu m'écouteras, d'accord ? Je n'exige rien d'autre.

Edwin serra les mâchoires. Habitué à commander, il supportait mal qu'on lui dicte sa conduite. Il savait toutefois lorsqu'il devait plier. Il avait beau n'avoir aucune intention de modifier ses plans, il ne pouvait qu'accéder à la requête d'Ewilan.

– C'est d'accord. As-tu compris que je ne te promettais rien ?

– Tout à fait.

– Bon. À la demande de l'Empereur et depuis notre retour de l'autre monde, Duom est resté en contact avec Bruno Vignol par l'intermédiaire d'un chuchoteur. Inutile que je te remémore les particularités de cet animal, n'est-ce pas?

Inutile en effet. Ewilan se rappelait parfaitement la petite boule de fourrure qui était apparue comme par magie dans sa chambre, chez les Duciel, lui apportant le premier message de maître Duom. Elle se souvenait du ronronnement ravi de l'affectueuse bestiole quand elle la caressait et de sa propre joie lorsqu'elle avait compris que sa mère était vivante et se servait du chuchoteur pour lui parler.

– Sil' Afian craint qu'Éléa Ril' Morienval ne tente à nouveau d'utiliser les ressources de l'autre monde pour prendre le contrôle de l'Empire. Bruno Vignol a accepté de se montrer vigilant et nous envoie régulièrement des messages. Comme il n'a pas accès à l'Imagination, il confie les messages en question au chuchoteur, ce qui limite forcément les échanges. Je te répète de mémoire celui qui est arrivé ce matin : « Nouvelle grave. Danger. Nécessité parler. »

– Et l'Empereur souhaite que j'aille chercher Bruno Vignol, conclut-elle.

Edwin avait beau être habitué à l'intelligence d'Ewilan, il fut une fois encore ébloui par la rapidité de son raisonnement.

– Oui, mais je crains que ce ne soit plus une bonne idée. Il est hors de question que tu prennes le moindre risque dans les Spires.

– Je ne courrai aucun danger en me rendant dans l'autre monde, le rassura Ewilan. La méduse occupe des Spires plus hautes que celles que j'utiliserai. Le rendez-vous avec Bruno Vignol est-il fixé?

– Oui, répondit maître Duom. Un deuxième message est arrivé peu après celui que mentionne Edwin. Bruno Vignol se trouve en ce moment dans la maison que nous avons occupée près de Paris.

– Bien. Je vais le chercher.

Joignant le geste à la parole, Ewilan se glissa dans les Spires et dessina son pas sur le côté. L'assurance qu'elle avait montrée n'était qu'une façade et elle ne put s'empêcher de trembler en entrant dans l'Imagination. Heureusement, la méduse resta invisible.

Ewilan se matérialisa dans le salon du pavillon de Saint-Cloud. Bruno Vignol qui travaillait à son bureau sursauta en la voyant surgir.

– Bon sang! s'exclama-t-il. Quelle frayeur tu m'as causée! Je ne m'habituerai jamais à ce genre d'irruption.

Il retrouva toutefois rapidement une contenance et se leva pour la saluer cordialement.

– Je suis content que tu sois venue aussi vite, commença-t-il. Il se passe des choses graves que tu...

– Attendez, l'interrompit Ewilan. Je serais ravie d'écouter ce que vous avez à me dire, mais Edwin n'hésiterait pas à me couper en morceaux si j'apprenais quelque chose avant lui. Êtes-vous disposé à vous rendre à Al-Jeit?

– Si tu me ramènes ensuite ici, je pense que c'est la meilleure chose à faire.

– Quand pouvons-nous y aller?

– Dès que tu le souhaites. Maintenant si c'est possible.

– Rien de plus facile.

Ewilan saisit sa main et dessina un grand pas.

– Nous vous écoutons.

Après les salutations d'usage et une rapide colla-tion prise autour d'une table basse, ils s'étaient ins-tallés dans un salon du palais. Ewilan pensait qu'Edwin l'inviterait à se retirer mais il n'en avait pas été question et elle attendait avec impatience les révélations de Bruno Vignol.

– Je n'irai pas par quatre chemins, attaqua celui-ci. Tout laisse à penser qu'Ewilan est en danger !

– Éléa Ril' Morienval ? questionna Edwin.

– Non, du moins pas directement. Vous vous sou-venez sans doute de la discussion que nous avons eue au sujet de la capture d'Ewilan. Il nous paraissait étrange qu'elle se soit fait cueillir aussi facilement lors de son arrivée chez nous.

Edwin acquiesça d'un signe de tête.

– Nous avons plusieurs fois débattu de ce point, poursuivit Bruno Vignol, et nous avons conclu que l'enlèvement en question avait été rendu possible parce que Ewilan ne cachait pas l'imminence de son voyage. Éléa Ril' Morienval en avait entendu parler et n'avait eu qu'à poster des gardes à des endroits stra-tégiques, finalement peu nombreux, pour la piéger.

– C'est ça, approuva maître Duom.

– Eh bien la réalité est tout à fait différente. Les hommes capturés lors de l'assaut de l'Institution ont avoué. Il n'y a eu qu'un groupe d'intervention. Éléa Ril' Morienval savait avec exactitude où et quand Ewilan allait arriver. À la minute et au centimètre près !

– Cela signifie... commença Ewilan.

– Que quelqu'un l'a aidée, confirma Bruno Vignol. Quelqu'un a rapporté tes faits et gestes à cette femme et lui a transmis le moindre de tes projets. Tu as été trahie, Ewilan. Par un de tes proches !

17

Kur N'Raï : Volcan qui culmine à près de dix mille mètres d'altitude, au cœur des royaumes raïs. La grande cité des guerriers cochons est bâtie sur ses flancs. Elle surplombe les marais d'Ankaï.

Encyclopédie du Savoir et du Pouvoir

Bruno Vignol n'avait malheureusement aucune information précise à leur fournir au sujet du mystérieux allié d'Éléa Ril' Morienval. Ewilan le ramena chez lui après qu'il eut promis de poursuivre l'enquête et de les tenir au courant.

De retour au palais, elle trouva Edwin et maître Duom en grande discussion avec maître Elis. Le professeur, stupéfait, peinait à accepter la vérité.

– C'est ridicule, affirma-t-il en se frottant les mains machinalement. Des dizaines de personnes étaient au courant de votre voyage, Ewilan. Éléa Ril' Morienval a pu l'apprendre sans...

– Moins de dix personnes savaient avec exactitude où me conduirait mon pas sur le côté, l'interrompit-elle.

– En tout cas, intervint Edwin, le problème de ta participation à l'expédition vers Valingaï est réglé.

– Que veux-tu dire ?

– Il est hors de question que tu restes seule à Al-Jeit tant que nous n'aurons pas mis la main sur ce traître. Désormais tu fais partie du voyage.

– Mais c'est impossible ! s'exclama maître Elis. Les examens commencent la semaine prochaine et...

– Je sais cela, le coupa Edwin. Je pars demain avec Duom, Illian, un escadron de la Légion noire et Ewilan. Si je vous ai demandé de venir au palais, ce n'est pas pour discuter de dates, mais pour que nous réglions cette histoire d'examens. Ewilan les passera lorsque nous serons de retour. Cela doit être possible, non ?

Le visage de maître Elis se ferma.

– Ce n'est pas aussi simple que vous l'imaginez, s'emporta-t-il. Les tests des élèves de dernière année sont complexes, ardus à mettre en place et, je vous le rappelle, essentiels à l'équilibre de Gwendalavir. Les dessinateurs que nous instruisons sont promis aux plus hautes tâches de l'Empire, leur formation est fondamentale. Vous n'avez pas le droit de la traiter par le mépris. C'est de futures Sentinelles qu'il s'agit, pas de vulgaires soldats ! Même vous devez comprendre cela.

Ewilan ne put retenir une grimace. Elle connaissait bien Edwin et savait que maître Elis n'avait pas choisi la bonne méthode pour le convaincre. Les deux hommes s'étaient déjà côtoyés mais le professeur semblait n'avoir jamais vraiment eu affaire à Edwin Til' Illan.

Le maître d'armes s'approcha de l'enseignant qui, soudain inquiet, recula jusqu'à ce que son dos bute contre une table.

– Je suis un vulgaire soldat, annonça-t-il de la voix sans âme qu'il utilisait quand il était réellement en colère, mais c'est moi qui commande ici. Mon pouvoir ne le cède que devant celui de l'Empereur. Ewilan m'accompagne et vos objections n'y changeront rien. En revanche, manquez-moi encore une seule fois de respect et vos futures Sentinelles devront faire appel à un autre professeur.

– Vous n'avez pas le pouvoir de me renvoyer! rétorqua maître Elis qui avait blêmi sous le regard glacé d'Edwin. C'est une prérogative de l'Empereur!

– Je ne parlais pas de vous renvoyer mais de vous jeter par la fenêtre, déclara sans ciller le maître d'armes.

Maître Elis, décomposé, lança autour de lui un coup d'œil angoissé. Ewilan aimait bien le professeur. Il ne cherchait qu'à défendre les valeurs de l'Académie et elle trouvait injuste qu'il soit rabroué ainsi. Le matin même, il l'avait écoutée avec bienveillance lorsqu'elle lui avait parlé de son désir de se joindre à l'expédition et elle ne doutait pas que, dans le fond, il soit d'accord avec Edwin. Il s'agissait d'un simple malentendu causé par l'affrontement de deux caractères trop entiers. Elle s'apprêtait à voler à son secours lorsque Duom Nil' Erg leva la main d'un geste apaisant.

– Inutile de poursuivre cette querelle. Personne ne passera d'examens.

Son intervention fit baisser la tension qui avait dangereusement monté.

– Pourquoi ? s'étonna Ewilan.

– Parce qu'aucun professeur n'acceptera d'organiser des tests qui jetteraient les étudiants dans les tentacules de la méduse ! N'est-ce pas Elis ?

Le professeur avait profité de la diversion pour s'éloigner d'Edwin. Il frotta nerveusement ses mains, se concentrant sur un facteur auquel il n'avait pas eu le temps de réfléchir.

– C'est possible, admit-il. Non. Probable. J'ai une réunion tout à l'heure avec l'ensemble des professeurs de l'Académie. Nous devons décider d'une attitude commune face au danger que représente la méduse, en attendant que les Sentinelles trouvent un moyen de l'éradiquer.

Il jeta un regard farouche à Edwin en mentionnant les Sentinelles puis poursuivit :

– Si nous prenons une décision, je ne manquerai pas de vous en faire part.

Il salua d'un bref mouvement de tête et se retira sans un regard en arrière. Le ton de sa dernière phrase était péremptoire, presque agressif, et Ewilan fut reconnaissante à Edwin de ne pas l'avoir relevé. Le maître d'armes considérait apparemment l'affaire close et, lorsqu'il se tourna vers elle, il avait déjà oublié le professeur et sa piètre sortie.

– Nous partons après-demain, lui expliqua-t-il. Nous rejoindrons les Marches du Nord avant de bifurquer à l'est pour gagner l'Œil d'Otolep. Nous traverserons la mer des Brumes puis le désert Ourou, bien que personne n'ait encore réussi cet exploit, et nous atteindrons Valingaï. Si Valingaï se trouve à l'endroit indiqué par Illian.

– L'Œil d'Otolep... reprit Ewilan. J'en ai beaucoup entendu parler depuis que j'ai intégré l'Académie.

– Il se situe au-delà de nos frontières, compléta maître Duom, dans une contrée sauvage que les Raïs considèrent maudite et fuient comme la peste. Il est probable qu'à terme, l'Empire s'étende dans cette direction. L'Œil d'Otolep est un lac immense qui génère d'étranges phénomènes liés à l'Art du Dessin. C'est sans doute de cela que tu as entendu parler.

– Oui. On dit que l'Œil d'Otolep est en fait l'œil de l'Imagination. Il veillerait à son équilibre, repoussant ceux qui en font un mauvais usage et protégeant les autres.

– Mais bien sûr ! railla l'analyste. Il aide les gentils et punit les méchants. C'est pour cette raison qu'Éléa Ril' Morienval est une dessinatrice aussi douée et que Nalio a été terrassé par la méduse. Ewilan, je t'en prie, ne te laisse pas prendre au piège des sornettes que colportent les étudiants de l'Académie. L'Œil d'Otolep est mystérieux, d'accord, mais pas davantage que les hiatus de Merwyn, l'Arche sur le Pollimage ou la société des Iaknills.

Edwin, qui trouvait que la digression sur l'Œil d'Otolep avait trop duré, toussota pour marquer son impatience.

– Notre groupe s'enrichira de quelques personnes dont je n'ai pas parlé à maître Elis, annonça-t-il. Un rêveur, peut-être Artis Valpierre, et un autre de nos amis qui sera l'ambassadeur de son peuple. Il n'aura pas...

– Un de nos amis ? le coupa Ewilan. De qui parl...

Comme s'il s'agissait d'un coup monté avec une précision d'orfèvre, la porte s'ouvrit à cet instant et deux Faëls pénétrèrent dans la pièce. Ewilan reconnut immédiatement le premier.

– Chiam ! s'écria-t-elle en se jetant dans ses bras.

18

L'organisation sociale de la guilde marchombre n'a d'équivalent dans aucune des civilisations de notre monde.
Bruno Vignol, *Rapport secret sur le monde de Gwendalavir*

Salim examina avec satisfaction les vêtements de cuir récupérés sur Jorune. Il était assis à la terrasse d'une taverne devant le palais, attendant Ellana qui allait surgir d'une minute à l'autre. Malgré sa fierté d'avoir vaincu le marchombre et son plaisir de l'avoir détroussé, il jetait de fréquents coups d'œil sur la foule et scrutait les visages des passants. Il craignait d'apercevoir la silhouette d'un Jorune indemne, animé de pulsions sanguinaires, et commençait à trouver qu'Ellana tardait vraiment.

Pour passer le temps, il fouilla les poches de la veste qu'il avait endossée. Il en tira d'abord quatre anneaux soudés en ligne, chacun d'eux prolongé par une lame acérée de trois centimètres.

Lorsqu'il glissa les doigts dans les anneaux, les lames se trouvèrent placées dans le prolongement de ses phalanges, transformant son poing fermé en une arme redoutable. L'objet ressemblait aux griffes d'Ellana tout en étant radicalement différent. La marchombre avait beau être capable d'égorger un ennemi avec ses lames, elle les utilisait essentiellement comme un outil. Le coup-de-poing de Jorune, lui, était conçu pour donner la mort dans l'ombre et dégageait une aura presque maléfique. Salim s'empressa de l'ôter.

Depuis qu'Ellana avait fait de lui son élève, elle repoussait sans cesse le moment où elle le conduirait devant l'assemblée des marchombres. Salim n'en avait compris les raisons que le matin même lorsqu'elle lui avait enfin parlé du conseil et des troubles qui agitaient la guilde. Ce retard ne nuisait toutefois pas à son apprentissage, puisque la règle voulait qu'un postulant soit instruit par un seul et unique mentor qui lui communiquait tout au long de sa formation la totalité de son savoir.

Les marchombres les plus fameux, très sollicités, prenaient comme apprentis les plus doués des postulants. Les autres élèves devaient se contenter de professeurs moins célèbres et souvent moins compétents. Au fil des générations, certaines connaissances marchombres parmi les plus rares s'étaient ainsi concentrées dans des lignées d'exception très réputées. Salim avait compris cela seul puisque Ellana était peu loquace à ce sujet. Il avait également pris conscience de sa chance d'avoir été choisi par une des marchombres les plus renommées de Gwendalavir.

Ellana était jeune, certes, mais Salim l'avait vue à l'œuvre et avait remarqué le respect, parfois même la déférence, sinon la crainte, que lui témoignaient ses pairs. Sans parler d'Ellundril Chariakin qui était sortie de sa légende pour lui venir en aide !

126

Il plongea à nouveau la main dans les tréfonds des poches de Jorune. Il en sortit une collection de crochets, dards et autres tiges de métal qu'il connaissait bien pour avoir vu Ellana s'en servir et pour s'être entraîné de nombreuses fois à les utiliser. Il découvrit ensuite un gant de soie noire camouflé dans la doublure de la veste. Salim eut beau fouiller, il ne trouva pas le second gant. Jorune l'avait égaré ou alors, hypothèse que sa cachette semblait confirmer, il ne s'agissait pas d'un gant anodin...

Après une infime hésitation, Salim le passa à sa main gauche.

Il fit d'abord jouer ses doigts sans ressentir autre chose que le contact sensuel de la soie puis il ferma le poing et la sensation déferla dans son bras. Il tenait un arc. Non, il avait l'impression de tenir un arc mais cette sensation était si précise, si juste, qu'il discernait presque les contours de l'arme. Retrouvant les gestes qu'Ellana lui avait enseignés, il referma sa main droite sur une corde imaginaire, amena un empennage qui n'existait pas jusqu'à sa joue, visa un volet sur la façade de l'autre côté de la rue et, lentement, ouvrit les doigts.

Un sifflement caractéristique le fit sursauter. Il n'eut que le temps d'écarquiller les yeux, une flèche se planta dans le volet. Une flèche bien réelle ! Il la contempla stupidement puis, alors qu'elle vibrait encore, pris d'une frayeur subite, il arracha son gant et le jeta sur la table. Personne n'avait paru remarquer son manège.

– Tu t'es acheté de nouveaux vêtements ?

De surprise, Salim faillit tomber à la renverse. Ellana se tenait à côté de lui et le dévisageait, la mine étonnée.

– Je... Oui... Non, ce sont ceux de Jorune. Je les ai récupérés quand...

– Jorune ! s'écria la marchombre en lui saisissant l'épaule. Tu l'as rencontré ? Que t'est-il arrivé ?

– Attends ! s'exclama Salim. Je vais tout te raconter, mais dis-moi d'abord ce que c'est que ce truc !

Il désignait le gant de soie. Ellana s'en saisit, l'examina rapidement puis s'assit en face de Salim, une flamme dans les yeux.

– Ainsi, c'est lui qui l'avait !

– Quand je l'ai enfilé, j'ai eu l'impression de tenir un arc, relata Salim. Une impression extraordinaire de réalisme. J'ai fait semblant de tirer et une vraie flèche a jailli de mes mains pour se planter là-bas. Tu te rends compte, j'aurais pu tuer quelqu'un ! C'est quoi ce gant ?

– Plus tard. Raconte ce qui s'est passé avec Jorune.

– Mais...

– Plus tard, j'ai dit.

Salim savait quand il ne fallait pas insister. Il jugula son impatience et narra par le détail son affrontement avec Jorune.

– Bien joué ! commenta Ellana lorsqu'il eut fini. Tu t'en es sorti comme un chef. Tu es sûr qu'il était vivant lorsque tu l'as quitté ?

– Certain. Amoché mais vivant.

Ellana planta ses yeux dans les siens.

– C'est important, Salim. Plus que tu ne l'imagines. Peux-tu m'assurer que Jorune est vivant ?

– Oui. J'ai cogné fort, sa tête risque désormais de ressembler à un poulpe alcoolique et il devra sans doute se nourrir de soupe jusqu'à la fin de sa vie, mais je ne l'ai pas tué.

– Très bien, lança Ellana avec un sourire étrange. Tu t'es fait ton premier véritable ennemi et pas n'importe quel ennemi ! Je connais Jorune, il n'aura de cesse de te retrouver et de te faire payer l'affront que tu lui as infligé.

– Et tu trouves ça « très bien » ? s'inquiéta Salim. J'aurais dû le liquider tant que c'était possible.

– Cela aurait été plus prudent, en effet. Mais j'aurais été déçue...

– Je vois, affirma Salim qui ne voyait rien du tout. Tu me parles du gant maintenant ? C'est un objet de même nature que le fil d'Hulm que l'Empereur m'a offert lorsque nous sommes partis délivrer les Sentinelles, n'est-ce pas ?

– En quelque sorte. Ils ont été l'un et l'autre créés par d'extraordinaires dessinateurs mais si un fil d'Hulm est un objet très rare, le gant d'Ambarinal, lui, est unique. Il forme un trait d'union entre la réalité, ta main en l'occurrence, et une arme qui se trouve dans les Spires. Grâce à lui, son possesseur peut tirer autant de flèches qu'il veut avec une efficacité aussi grande que s'il tenait le plus redoutable des arcs de combat.

– Et les flèches ? Ce sont également des dessins ? De ces dessins qui disparaissent avec le temps ?

– Non et ce n'est qu'une des particularités du gant. Les flèches qui en jaillissent sont inépuisables mais tout à fait réelles.

– Comment sais-tu cela ? s'étonna Salim.

– Le gant d'Ambarinal est célèbre. Surtout chez les marchombres. Si je peux te le décrire aussi précisément, c'est que je l'ai souvent vu à l'œuvre.

– À l'œuvre ?

– Oui. Sur la main de mon maître. Jilano Alhuïn. Avant qu'il ne soit assassiné !

Salim mit quelques secondes à intégrer l'information. C'était pourtant évident. Ellana était une marchombre. Elle ne lui en avait jamais parlé mais elle avait été apprentie. Elle avait eu un maître, certainement exceptionnel, qui avait su développer son extraordinaire potentiel et faire d'elle un des membres les plus prodigieux de la guilde. Et voilà qu'il apprenait que ce maître avait été assassiné.

– Qui l'a... enfin... qui a pu...

– Je l'ai toujours ignoré. J'avais achevé ma formation depuis deux ans lorsqu'il est mort. Je suis revenue à Al-Jeit dès que j'ai appris la nouvelle mais, malgré mes recherches, je n'ai pas réussi à découvrir qui avait fait le coup. Jilano était le meilleur marchombre depuis des générations, peut-être même depuis la création de la guilde. Ses assassins devaient être nombreux et sacrément préparés. Ils n'ont laissé aucune piste. Jusqu'à aujourd'hui !

Un sourire sinistre barra le visage d'Ellana et, tout à coup, Salim comprit pourquoi l'état de santé de Jorune l'avait autant préoccupée. Le petit marchombre n'avait peut-être pas choisi la bonne solution en survivant au coup qu'il avait reçu dans la figure... Ellana confirma son impression.

– Nous partons, annonça-t-elle, mais nous reviendrons bientôt régler cette histoire. Définitivement !

19

L'Imagination est une dimension. L'Amour en est une autre.
Tellement plus grande.
    Elis Mil' Truif, maître dessinateur à l'Académie d'Al-Jeit

— Je être heureux de te retrouver, jeune fille…
    Chiam Vite s'était dégagé de la chaleureuse étreinte
d'Ewilan et la contemplait, son habituel sourire
ironique aux lèvres.
    — … mais je ne me plus rappeler que les Alaviriens
être aussi effusifs !
    Le Faël, malgré la chaleur estivale, avait conservé sa
veste de fourrure sans manches. Ses bras étaient couverts de bracelets de métal, la plupart ornés de perles
colorées. Son regard pétillait de malice dans son
visage triangulaire à la peau presque aussi sombre
que celle de Salim et ses cheveux étaient tressés de
plumes. L'arc dont les Faëls ne se séparaient jamais
était accroché à ses épaules tandis qu'un fin carquois
en peau, rempli de flèches, pendait à sa ceinture.
    Chiam adressa un clin d'œil à Edwin, serra céré-
monieusement la main de maître Duom avant de

pivoter pour présenter la personne qui l'accompagnait. C'était une jeune Faëlle aux cheveux blancs comme la neige tombant en cascade autour d'un visage d'une beauté à couper le souffle. Ses yeux immenses brillaient de deux flammes vertes fascinantes, le dessin de ses lèvres vermeilles était parfait et son sourire merveilleux. De petite taille comme tous ceux de son peuple, elle avait les membres déliés, les attaches fines et, bien qu'elle fût immobile, une énergie et une sensualité presque animales se dégageaient de tout son corps.

Ewilan en resta bouche bée tandis que maître Duom avalait péniblement sa salive. Chiam, qui devait avoir l'habitude de ce genre de réaction, se tourna vers Edwin, seul Alavirien à ne pas avoir montré son éblouissement.

– Je vous présenter ma compagne Erylis. Mon peuple désigner elle pour être ambassadrice à mes côtés.

– Chiam m'a beaucoup parlé de vous, déclara la Faëlle. Je suis ravie de faire enfin votre connaissance.

Il n'y avait pas la moindre trace d'accent dans sa voix joliment flûtée, ce qui causa une nouvelle surprise à Ewilan. Chiam s'en aperçut et sourit largement.

– Erylis parler votre langue beaucoup mieux que moi, expliqua-t-il. Elle parvenir même à maîtriser ce que vous appeler conjugaison et que je nommer sadisme envers les étrangers.

Maître Duom, qui avait réussi à retrouver une contenance, salua la Faëlle en s'inclinant profondément.

– Je suis reconnaissant à votre peuple de nous avoir envoyé une représentante aussi séduisante.

– Et moi fière de voyager avec le célèbre Duom Nil' Erg qui a accumulé au cours de sa longue vie une sagesse dont on parle jusqu'à Illuin.

Le compliment tira un sourire mi-figue, mi-raisin au vieil analyste. Erylis venait en une seule phrase de louer sa sagesse tout en lui rappelant qu'il avait l'âge d'être son grand-père ! Ewilan décida que la jeune Faëlle lui plaisait bien et lui décerna un sourire complice.

– Je ferai également partie du voyage, annonça-t-elle. Nous aurons l'occasion de faire plus ample connaissance et je m'en réjouis.

– Marier le devoir et le plaisir est l'apanage de ceux qui ont trouvé leur voie, répliqua la Faëlle. Je me réjouis également.

Elle tendit la main pour serrer celle d'Ewilan mais, lorsque leurs peaux s'effleurèrent, elle sursauta et retira vivement ses doigts. Elle fronça les sourcils et, sans répondre à la question muette d'Ewilan, parut se plonger dans une profonde méditation. Chiam Vite avait entamé avec Edwin et maître Duom une conversation animée sur l'aspect pratique de leur périple et nul, sinon Ewilan, ne remarqua l'étrange attitude d'Erylis. Les yeux mi-clos, la tête rejetée en arrière, la Faëlle respirait profondément en chuchotant une incompréhensible litanie aux sonorités rauques. Quand elle sortit enfin de sa transe, elle planta son regard vert dans les yeux violets d'Ewilan.

– Ton équilibre est fissuré, petite sœur, murmura-t-elle. Quelque chose de mauvais te cherche. Quelque chose veut ta mort.

Ewilan repensa aux paroles d'Erylis en traversant les jardins du palais pour rejoindre la tour où logeait Illian. Après sa déclaration sibylline, la Faëlle avait changé de sujet et, lorsque Ewilan lui avait demandé des explications, elle n'avait pas paru comprendre à quoi elle faisait allusion.

Ewilan n'avait pas insisté. Le voyage vers Valingaï serait long, elle aurait tout le temps de questionner Erylis...

Elle longea un parterre d'enjôleuses d'Hulm qui ondoyaient doucement dans la brise en libérant des notes aiguës à la limite de l'audible. Ces fleurs, hautes de plus d'un mètre et brillamment colorées, sifflaient pour attirer les insectes et les dévorer. De ce fait, la plupart des maisons alaviriennes possédaient une enjôleuse en pot qui garantissait à leurs habitants des nuits paisibles et silencieuses.

Plus loin, ce fut une pièce d'eau à la surface parsemée de nénuphars pareils à des taches de peinture éclatante. Des poissons indolents glissaient entre des algues multicolores et, de temps à autre, un batracien rouge vif jaillissait de l'onde en une parabole aussi flamboyante que fugace.

Plus loin encore, un massif de rougeoyeurs taillés en boules écarlates abritait une myriade d'oiseaux dont les chants étaient repris par les joncs de cristal émergeant d'une fontaine proche. Un ruisseau argenté sinuait entre des rochers blancs aux formes arrondies, des fleurs surgissaient des endroits les plus improbables, offrant au regard la magnificence de leurs corolles complexes ou la simple beauté de leurs pétales fragiles.

Tout n'était que calme et harmonie.

Lorsqu'elle poussa la porte de la tour, Ewilan était apaisée.

Elle parcourut un long couloir pavé de marbre jaune, salua un garde de la Légion noire qui ne lui répondit pas et se glissa en silence dans l'appartement qu'occupait Illian. Elle souhaitait le surprendre mais ce fut lui qui la fit sursauter lorsque, surgissant dans son dos, il se jeta sur elle.

Illian ne vivait pas seul, évidemment. Buhuna Sil' Afian, une cousine de l'Empereur qui n'avait pas d'enfants, avait offert de s'occuper de lui, proposition acceptée dans la minute, au grand dam d'Ewilan qui aurait aimé remplir ce rôle.

Illian se cramponnait à son cou en riant, refusant de lâcher prise. Ewilan se laissa tomber sur le tapis qui couvrait le sol et roula sur le jeune garçon qu'elle entreprit de faire hurler de rire en le chatouillant.

— Arrête, supplia-t-il. Arrête !

Le mot était un ordre. Ewilan le sentit pénétrer sa volonté comme une lame chauffée à blanc mais, avant qu'elle ne perde le contrôle de ses gestes, elle utilisa son pouvoir et repoussa l'intrusion.

— Illian ! gronda-t-elle. Tu m'avais promis !

Le jeune garçon plaqua ses mains sur sa bouche.

— Pardon, s'écria-t-il. Je n'ai pas fait exprès. Je t'ai fait mal ?

Ewilan lui ébouriffa les cheveux.

— Non, mais tu dois te montrer plus vigilant ou un jour, tu transformeras la cousine de l'Empereur en légume. Je doute que Sil' Afian apprécie.

— Je vais m'appliquer. Je te promets que je vais m'appliquer. Buhuna est gentille mais elle ne sait pas se défendre comme toi, alors je...

– Attends une seconde, Illian.

– Quoi ?

Ewilan ne répondit pas immédiatement. Une idée se frayait lentement un passage dans son esprit tandis qu'elle réalisait avec quelle facilité elle avait repoussé l'attaque involontaire d'Illian. Elle attrapa sa main et planta son regard dans le sien.

– Nous allons essayer un nouveau jeu, toi et moi.

20

N'ralaï : Créature polymorphe de l'île des Nimurdes se repro-
duisant par parasitisme.

Encyclopédie du Savoir et du Pouvoir

– **O**rdonne-moi de me lever.

Ewilan était assise en tailleur sur le tapis face à
Illian qui l'observait sans comprendre.

– N'aie pas peur, insista-t-elle. Fais juste ce que je
te dis.

– Mais tu m'as défendu de... Je dois...

Elle l'attira vers elle jusqu'à ce qu'il prenne place
sur ses genoux.

– Tu dois apprendre à utiliser ton pouvoir avec
sagesse, Illian, non y renoncer. J'aimerais que tu
me donnes un ordre sans y mettre trop de force. En
es-tu capable ?

– Oui, je crois.

– Alors vas-y.

Illian hésita longuement puis secoua la tête.

– Non. Je ne veux pas. Je n'ai pas envie de t'obliger à faire des choses. C'est mal.

Ewilan soupira. Elle ne pouvait reprocher à Illian ce qu'elle avait tant peiné à lui faire comprendre, mais elle avait besoin de son aide.

– Ce n'est pas mal puisque c'est moi qui te le demande, expliqua-t-elle. Cet exercice peut t'être très utile et il peut également me rendre un grand service.

– À toi ?

– Oui. Edwin et maître Duom ont accepté que je fasse le voyage avec vous jusqu'à Valingaï et...

Elle se boucha les oreilles pour se protéger du hurlement de joie interminable que poussait Illian puis finit par le bâillonner de ses deux mains afin qu'il se taise.

– Je suis heureuse moi aussi, seulement j'aimerais achever ma phrase. D'accord ?

Le jeune garçon hocha la tête. Elle le libéra et poursuivit :

– Dans ton pays, tes parents, les autres gens, possèdent un pouvoir identique au tien, n'est-ce pas ? En m'exerçant à te résister, je serai capable de me protéger si on m'attaque quand nous serons chez toi.

Illian ouvrit des yeux stupéfaits.

– Mes parents ? Je n'ai pas de...

– Tes parents ne me feront jamais de mal, bien sûr, le coupa Ewilan soucieuse de ne pas le troubler, mais je suis certaine qu'à Valingaï tout le monde n'est pas gentil.

– C'est vrai, admit Illian

Il réfléchit un instant puis se décida.

– D'accord. Je vais t'entraîner.

La séance dura presque deux heures.

Deux heures durant lesquelles Ewilan réussit à rester assise. À plusieurs reprises elle fut sur le point de se lever, sa volonté submergée par celle d'Illian mais, à chaque fois, elle parvint à reprendre le dessus et à repousser l'intrusion. À sa demande, le jeune garçon augmentait régulièrement la pression qu'il exerçait sur son esprit, lui donnant l'impression qu'un étau broyait son cerveau. Elle ne céda pas.

C'est le visage trempé de sueur, et avec la sensation que sa tête allait exploser, qu'elle donna le signal de la fin de l'exercice. Elle prit le temps de récupérer puis interrogea Illian.

– Est-ce que tu pourrais m'attaquer plus fort ?

– Ben...

– Sois sincère, Illian, c'est important.

– Je crois que oui. Enfin... je suis sûr que oui. Hier quand j'ai essayé de casser ta boule, j'ai forcé beaucoup plus. Si je ne m'étais pas évanoui, je...

– La méduse !

Ewilan avait crié, faisant sursauter Illian.

– Je suis désolée, balbutia-t-elle, tellement désolée... Nalio est mort, je ne pense qu'à cette chose dans les Spires et, comme une imbécile, je t'expédie droit dans ses tentacules.

– Je ne comprends rien, affirma Illian en écarquillant les yeux.

Ewilan attendit que son cœur retrouve un rythme normal pour reprendre la parole.

– Lorsque tu te sers de ton don, expliqua-t-elle, tu pénètres dans une dimension, la dimension que j'utilise pour dessiner.

– L'Imagination ?

– Oui. Qui t'en a parlé ?

– Maître Duom. Il a prétendu que j'étais un aveugle alors que je vois très bien.

– Il faisait référence à la dimension en question, celle dont tu te sers sans le savoir. Or il y a quelque chose d'horrible qui rôde dans l'Imagination. Un monstre qui peut te tuer si tu t'en approches. Tu es donc particulièrement en danger puisque tu ne le discernes pas et je n'y ai pas pensé une seconde avant de te proposer cet exercice. Sans doute parce que je ne m'engage presque pas dans les Spires pour te résister. Je n'en reste pas moins impardonnable.

– Je me souviens d'un truc noir, murmura Illian. Un truc très très méchant qui m'a touché. Et puis...

– Oui ?

– Et puis j'entends un mot, un seul : amour. C'est drôle, non ?

– Ça le serait peut-être si la méduse n'était pas aussi dangereuse. Il ne faut plus que tu utilises ton don, Illian. Plus du tout !

Ewilan fit quelques pas dans la pièce. La fatigue accumulée durant cette sombre journée pesait comme une chape de plomb sur ses épaules, et elle éprouvait l'envie d'aller se coucher bien que le soleil fût encore haut dans le ciel. Se plonger dans le sommeil en espérant qu'au réveil elle aurait les idées plus claires...

– La méduse est encore plus dangereuse que la sorcière ? s'inquiéta Illian.

La sorcière ! C'est ainsi que le jeune garçon désignait Éléa Ril' Morienval. La Sentinelle félonne l'avait enlevé pour l'utiliser comme cobaye dans son laboratoire secret. Illian la craignait plus que tout au monde.

– Bien plus que la sorcière ! lui assura Ewilan.

Il soupesa cette réponse un moment puis parut l'accepter.

– C'est sans doute normal, lui accorda-t-il. La méduse est un monstre tandis que la sorcière n'a pas toujours été méchante, non ?

– Eh bien... Je t'avoue que je ne me suis jamais posé la question.

– Moi oui et je crois qu'un jour elle a dû aller dans la même Académie que toi, avoir des amis, rire avec eux, se trouver un amoureux. Elle a beau être très méchante, elle reste une personne.

Ewilan s'immobilisa. Les paroles d'Illian donnaient à ses pensées un éclairage nouveau. Elle se moquait de savoir si Éléa Ril' Morienval avait été ou non une petite fille joyeuse et sympathique mais, si elle avait suivi sa formation à Al-Jeit, cela datait de moins de vingt-cinq ans. Il devait être possible de retrouver la trace de son passage, de ses activités, les noms de ses amis. Et avec un peu de chance...

... le nom de celui ou celle qui continuait à l'aider !

21

Ici, vos professeurs vous enseigneront toutes les subtilités du dessin, la communication à distance et l'art d'effectuer le pas sur le côté, mais pour comprendre le Grand Pas il faudra vous débrouiller seuls.
  Elis Mil' Truif, maître dessinateur à l'Académie d'Al-Jeit

Fidèle à son habitude, Ewilan fit un détour par la chambre de Maniel avant d'entamer sa dernière journée de cours. Depuis leur retour à Al-Jeit, un rêveur du premier cercle s'occupait quotidiennement de l'homme-lige, veillant à son confort avec d'autant plus de sollicitude qu'il était incapable de changer quoi que ce soit à son état. À la demande d'Ewilan, il avait accepté sans difficulté de passer plus de temps avec lui, son absence dût-elle se prolonger. Bien qu'elle sût que Maniel était entre de bonnes mains, Ewilan n'éprouvait pas moins un désagréable sentiment de culpabilité à l'idée de l'abandonner.

La veille au soir, elle était restée un long moment assise près de lui, racontant dans le détail ses récentes mésaventures, la menace de la méduse et les révélations de Bruno Vignol. Elle lui avait également annoncé son voyage. Maniel n'avait pas bronché ; aucune lueur ne s'était allumée dans son regard vide.

Le cœur lourd, Ewilan était allée se coucher. Salim lui manquait. À l'heure qu'il était, il devait avoir quitté Al-Jeit avec Ellana. Il pouvait se trouver n'importe où. Certainement loin. Elle avait caressé l'idée de le contacter mentalement mais, après réflexion, ne s'était pas accordé cette liberté. La dernière fois qu'elle s'y était risquée, elle avait joint Salim alors qu'il achevait un exercice de haute voltige particulièrement dangereux imposé par Ellana. Stupéfait, il avait raté un appui et basculé dans le vide. Il ne s'était rattrapé qu'in extremis. Ils avaient convenu qu'elle ne le contacterait désormais que s'il y avait urgence ou si elle était certaine de ne pas le surprendre dans une situation périlleuse.

Elle s'était donc glissée dans son lit, l'âme grise. Sa cicatrice diffusait une chaleur déplaisante dans son ventre. Le souvenir de la méduse la hantait.

La mort de Nalio.

Malgré la fatigue qui l'écrasait, le sommeil avait été long à venir.

Très long.

Après s'être assurée qu'il ne manquait de rien, Ewilan déposa un baiser sur le front de l'homme-lige et quitta sa demeure. La nuit lui avait été profitable et elle gagna l'Académie d'un pas léger. Elle ne trouva que Liven près du grand cèdre. Il avait la mine hagarde de celui qui a mal dormi et lui adressa un sourire las lorsqu'elle s'approcha de lui.

– Où sont les autres ? s'enquit Ewilan.

– Ils ne viendront pas aujourd'hui. Tu sais, la mort de Nalio est un coup terrible pour nous. Plus que tu ne peux l'imaginer. Tu es arrivée il y a peu de temps dans notre groupe et tu n'as pas vraiment eu l'occasion de le connaître mais Nalio était un type super, d'une intelligence et d'une gentillesse exceptionnelles. Un véritable ami. Penser qu'il est... C'est tragique et si... absurde.

Liven ferma les yeux et baissa la tête pour dissimuler les larmes qui avaient coulé sur ses joues à la fin de sa phrase. Ewilan tendit la main et l'attira vers elle pour le serrer maladroitement dans ses bras.

– Ça ira mieux quand tu te seras reposé, murmura-t-elle en sachant qu'elle proférait une banalité. Tu aurais dû rester chez toi, prendre le temps de te remettre... Pourquoi es-tu là ?

Liven se dégagea doucement mais garda les mains d'Ewilan prisonnières des siennes.

– Tu souhaites réellement connaître la réponse ? demanda-t-il en s'immergeant dans le violet de ses yeux.

Ewilan acquiesça en silence. Elle savait ce que Liven allait lui dire, aurait souhaité par-dessus tout qu'il le taise mais ignorait comment le lui faire comprendre sans le blesser. Et elle n'avait pas le droit de le blesser. Pas aujourd'hui.

– Je suis là pour toi, Ewie. Parce que j'en ai assez que tu me considères uniquement comme un bon copain, assez de jouer ce rôle ridicule, assez de dissimuler mes sentiments. Je veux que tu m'aimes, je veux que...

– Je m'en vais, Liven.

145

– Je... Qu'est-ce que tu racontes ?

– Edwin a accepté que je me joigne à l'expédition qui part demain pour Valingaï. Je suis venue te faire mes adieux.

– Adieux ? Mais...

– Je ne serai jamais une Sentinelle, Liven. Je te l'ai déjà dit, tu ne m'as pas entendue. Il y a peu de chances que ma vie se déroule à Al-Jeit, elle ne ressemblera sans doute pas à celle à laquelle tu aspires mais tu seras toujours pour moi un ami fidèle et précieux. Un ami.

– Tu as beau partir en mission, tu finiras bien par revenir, non ?

– Bien sûr, mais pas avant plusieurs mois. Et cela ne change rien à ce que je viens de te dire.

Liven poussa un long soupir résigné.

– Tu es sûre de ce que tu avances ?

– Certaine.

– Alors on s'embrasse et on reste amis pour l'éternité, c'est ça ?

– C'est mon souhait le plus cher.

Liven la prit dans ses bras et, une flamme dans les yeux, l'attira contre lui.

Elle s'y attendait un peu, pensait résister, le repousser... elle se contenta de frissonner.

Un long frisson d'émotion qui parcourut son dos et la laissa tremblante d'expectative, incapable de réagir. Lorsqu'il approcha son visage, elle ne bougea pas, tétanisée par le magnétisme de son regard et la vague qui naissait en elle.

Une vague irrésistible.

Leurs bouches se frôlèrent.

S'écartèrent pour mieux se retrouver.

S'unirent.

Pendant une seconde, Ewilan se sentit perdue puis, comme par magie, sa gêne se volatilisa. Un flot de sensations inattendues l'envahissait.

Étourdissantes.

Ses lèvres s'entrouvrirent, ses mains se refermèrent sur le dos de Liven. Elle lâcha prise.

Leur baiser dura longtemps.

Jusqu'à ce qu'Ewilan s'écarte de Liven et recule d'un pas. Écarlate.

– Je... tu... bafouilla-t-elle.

– Ne t'inquiète pas, Ewie, la rassura-t-il avec un sourire radieux. Tu embrasses merveilleusement mais cela ne t'oblige pas à m'épouser.

Ewilan inspira profondément.

– Je ne désirais pas cela.

– Ce n'est pas l'impression que tu m'as donnée...

Elle serra les poings et une lueur inquiétante s'alluma dans son regard. Liven ne se laissa pas impressionner.

– Tu sais, Ewie, ton vrai problème provient de ton intransigeance à ton propre égard. Tu ne peux pas toujours être forte. Personne ne le peut. Tu avais envie de m'embrasser, cela ne te rend pas moins exceptionnelle, tu as cédé à ton envie, cela ne te rend pas moins admirable. Au contraire. Si tu voulais...

Il saisit sa main mais elle se dégagea.

– Non.

Il n'y avait aucune ouverture dans ce refus. Aucune faille à utiliser pour le faire voler en éclats. Liven s'en aperçut.

– Dommage, souffla-t-il.

Il écarta les bras, contempla les bâtiments de l'Académie autour d'eux, puis le ciel céruléen au-dessus de leurs têtes.

— Je ne crois pas en la destinée que tu penses être la tienne, reprit-il plus haut. La semaine prochaine je passerai ces fichus examens. Haut la main. Je vais devenir la plus grande Sentinelle qu'ait connue Gwendalavir et lorsque tu reviendras, car tu reviendras, nous reparlerons de nos routes. De notre route.

Sur un dernier sourire, il se détourna. S'éloigna.

Ewilan resta seule sous le grand cèdre.

Elle avait un drôle de goût sur les lèvres.

Un drôle de poids sur le cœur.

ERYLIS

1

Le parasite n'ralaï se lie à chacune des terminaisons ner-
veuses de son hôte, à chacun de ses muscles, à chacun de ses os.
Il tisse ainsi une toile létale, squelette de son futur corps.

Maître Beñat, *Le N'ralaï*

Ils étaient douze.

Vêtus de l'armure noire de leur légion, tout entière
en vargelite, ce métal souple plus résistant que l'acier
que seuls les maîtres forgerons d'Al-Chen savaient
travailler et qui valait mille fois son poids en or.

Douze légionnaires aux visages durs, effrayants
d'impassibilité, armés de sabres et de lances de combat aux lames redoutables, qui chevauchaient des
montures puissantes et disciplinées, dressées à assister leurs maîtres lors des affrontements. Ils commu-
niquaient entre eux par monosyllabes. Aux autres,
ils ne disaient rien.

La seule émotion discernable dans leur attitude
consistait en un imperceptible raidissement de leurs
épaules et une lueur de fierté dans leur regard lorsque
leur commandant passait près d'eux.

Leur commandant.

Edwin Til' Illan.

Le maître d'armes de l'Empereur n'avait pas endossé l'armure de vargelite à laquelle son rang lui donnait droit. Il portait les vêtements de cuir sombre de son peuple et sa seule arme visible était le sabre fixé entre ses épaules. Il n'arborait aucun insigne, aucune décoration mais il était le chef de l'expédition, nul ne pouvait en douter.

Les hommes de la Légion noire lui vouaient une véritable adoration qui s'enracinait dans les multiples champs de bataille où il les avait conduits à la victoire. Adoration renforcée, au fil des années, par les exploits qu'il avait accomplis à leurs côtés, souvent pour sauver la vie de l'un d'eux. Pas un seul soldat de la troupe d'élite de l'Empire n'aurait hésité à se laisser couper en morceaux pour rester digne de l'estime de son commandant.

Le convoi se composait de deux chariots, l'un fermé d'une bâche tendue sur des arceaux, l'autre ouvert. Maître Duom conduisait le premier, Artis Valpierre le second. Le rêveur était arrivé la veille au soir après avoir galopé presque sans interruption depuis Ondiane. Il s'était présenté au palais, porteur d'une lettre de maître Carboist qui le mandatait pour apporter l'aide qu'avait sollicitée Edwin. À voir son sourire lorsqu'il avait salué ses anciens compagnons, il était évident qu'Artis avait insisté, sans doute beaucoup, pour obtenir ce privilège.

Les rêveurs détenaient un pouvoir dérivé de l'Art du Dessin qui leur permettait de soigner la plupart des blessures. Ils possédaient en outre d'étonnantes connaissances en anatomie qui, alliées à leur don, faisaient d'eux des compagnons de voyage extrêmement prisés. Pourtant les rêveurs ne voyageaient guère, préférant vivre à l'écart des villes dans des confréries où ils se consacraient à la méditation et à la culture de leurs terres. Edwin avait jugé nécessaire qu'un d'eux les accompagne et avait adressé une demande en ce sens au supérieur d'Ondiane, maître Carboist. Celui-ci, comme tous les membres importants de son ordre, jouait un rôle discret mais essentiel dans la politique de l'Empire et il avait immédiatement donné son accord.

Dix soldats de la Légion noire encadraient les chariots, tandis que deux autres légionnaires menés par Edwin progressaient en tête. Ewilan chevauchait à l'arrière aux côtés de Chiam Vite et d'Erylis. Ewilan avait retrouvé Aquarelle, sa jeune jument, avec une joie immense. Ses études à l'Académie et l'épisode tragique de l'Institution l'avaient empêchée de la monter autant qu'elle l'aurait voulu mais l'affection qui les liait était toujours aussi forte et, en se juchant sur son dos, elle avait senti un frisson de bonheur intense la parcourir.

Il était très tôt. Le soleil n'était encore qu'une promesse sur leur droite tandis que derrière eux, Al-Jeit, qu'ils avaient quitté par la porte d'Améthyste, flamboyait dans l'air frais du petit matin. Ewilan étouffa un bâillement. Le voyage jusqu'à Valingaï durerait plusieurs semaines, il n'y avait qu'Edwin Til' Illan pour considérer qu'un départ aux aurores était nécessaire, alors que deux heures supplémentaires de sommeil auraient été les bienvenues. Erylis partageait apparemment cette opinion car elle adressa un clin d'œil complice à Ewilan.

– Je crains que Chiam ait oublié de mentionner certaines manies d'Edwin, ironisa-t-elle.

La Faëlle et son compagnon montaient des chevaux de petite taille fins et élancés, fort différents des destriers des soldats. Ils les menaient par des pressions des genoux, en leur murmurant des ordres doux dans leur langue chantante.

– Edwin est beaucoup plus humain qu'il n'en a l'air, répondit Ewilan. Son caractère a été forgé par son sens des responsabilités et sa volonté de perfection, mais sous ses dehors de glace se cache un homme de cœur. Tu peux me croire.

Sa description d'Edwin et des contraintes qu'il s'imposait lui remit en mémoire les paroles prononcées la veille par Liven. Était-elle, comme il l'avait déclaré, prise au piège de règles trop strictes qui lui gâchaient la vie ou avait-il proféré ces mots sous le coup de la déception ? Difficile de trouver seule une réponse mais elle ne pouvait nier la perspicacité de Liven. Le sentiment de suivre un chemin prédestiné devenait plus fort de jour en jour sans qu'elle sache avec exactitude quand, pour la première fois, elle en avait pris conscience. Que son ami ait raison ou non, une force inconnue la poussait en avant. Elle n'était plus vraiment maîtresse de son existence.

Penser à Liven lui rappela le baiser qu'ils avaient échangé. Avait-elle trahi Salim et, si oui, était-ce en embrassant Liven ou en y prenant autant de plaisir ?

– Être amoureuse est une belle chose, dit Erylis.

Ewilan lui jeta un regard surpris. La Faëlle, en retour, esquissa un sourire énigmatique. Ce fut Chiam qui poursuivit à sa place :

– Erylis être douée du pouvoir de sentir les choses. Les choses passées, les choses cachées, les choses à venir... Ce être parfois surprenant d'autant qu'elle ne se tromper presque jamais. Ses paroles toucher aussi juste que ses flèches.

Ewilan faillit expliquer, se justifier, puis renonça. Elle n'était pas amoureuse de Liven, et Erylis, quel que fût son don, ne pouvait démêler l'écheveau complexe de ses sentiments. Elle se contenta donc d'afficher un air entendu et talonna Aquarelle pour rejoindre le chariot bâché.

Elle se penchait pour vérifier si Illian dormait toujours quand Edwin lança un ordre bref. La caravane quitta la route principale pour s'engager à droite sur une piste secondaire. Les soldats optèrent pour une formation serrée mais aucun ne tira son arme et nulle tension ne se lut dans leur attitude. Ils n'intervinrent pas lorsque Ewilan remonta le convoi jusqu'à Edwin.

– Que se passe-t-il ? s'enquit-elle. Ne devions-nous pas suivre la piste du Nord ?

– Nous la retrouverons dans quelques minutes, répondit le maître d'armes. Nous effectuons un léger détour pour récupérer ces deux-là.

Du doigt il désignait deux silhouettes sur des chevaux, immobiles près d'un bosquet. Le soleil darda à cet instant ses premiers rayons sur la campagne environnante mais il s'était déjà levé sur le cœur d'Ewilan. Elle avait reconnu un des cavaliers.

– Salim !

2

Un parasite n'ralaï ne peut infester un hôte que par piqûre. Il
faut donc qu'il se soit développé dans un corps possédant un
dard. Dans tous les autres cas, il reste stérile.

Maître Beñat, *Le N'ralaï*

Ils demeurèrent un instant immobiles à se contempler puis Ewilan sauta à bas de sa monture. Salim était déjà à terre. Ils tombèrent dans les bras l'un de l'autre. Leurs doigts se lièrent, leurs lèvres se cherchèrent.

Se trouvèrent.

Ils ne se séparèrent que pour voir la main d'Edwin caresser brièvement la joue d'Ellana.

— Je redoutais que tu ne sois pas là, murmura le maître d'armes avec une douceur inhabituelle.

Puis son sourire s'estompa et il reprit son rôle de commandant responsable et efficace.

— Salim, place vos bagages dans le chariot d'Artis. Ce n'est pas la peine de fatiguer inutilement vos montures. En avant, vous autres. Nous rejoindrons la piste du Nord un peu plus loin.

Laissant Ewilan embrasser Ellana, Salim saisit les deux sacs qui se trouvaient derrière leurs selles et se dirigea vers le chariot du rêveur. Au passage, il salua maître Duom qui lui rendit son bonjour sans paraître surpris. De toute évidence, l'analyste était au courant de leur arrivée. Artis Valpierre descendit de son banc pour l'accueillir.

– Je suis heureux de te revoir, lui confia-t-il en lui serrant la main, geste exceptionnel pour le rêveur qui s'autorisait rarement ce type d'effusion.

– Moi aussi Artis. Je...

Salim se tut.

Ses yeux venaient de tomber sur Erylis.

Sa salive, soudain, se tarit. Il sentit son rythme cardiaque s'accélérer brusquement et un tremblement incoercible s'empara de ses mains. Elle le regardait, ses yeux émeraude fichés directement dans son cœur.

Dans son cœur et dans chacune de ses fibres masculines.

Elle se laissa glisser de sa selle avec une fluidité qui mit en valeur ses courbes harmonieuses et s'approcha de lui en repoussant une mèche blanche qui lui barrait le visage. Salim se rendit compte qu'il avait cessé de respirer et avala une grande bouffée d'air. Sa mine égarée tira un sourire indulgent à la Faëlle.

– Je suis Erylis, annonça-t-elle avec simplicité.

Salim n'arrivait pas à détacher son regard de son visage, de sa bouche vermeille, de la cascade neigeuse de ses cheveux, des lignes sensuelles de son corps délié. Il restait pétrifié, incapable de proférer le moindre mot, affolé à l'idée qu'il allait sans doute se réveiller.

– Ton vieux copain Chiam aussi être là ! fit une voix ironique.

Salim sursauta. Écarlate, il prit conscience de l'endroit où il se trouvait et des personnes qui l'entouraient. La mine gênée d'Artis Valpierre, le visage moqueur de Chiam Vite, celui, étonné, d'Erylis.

– Je... je... il faut... bafouilla-t-il de manière inepte.

– Erylis, je te présenter Salim, intervint Chiam, il être d'habitude plus rompu aux subtilités du discours. Il devoir être fatigué.

Le Faël ajouta une phrase dans sa langue qui fit éclater de rire sa compagne et porta la confusion de Salim à son comble. Il ne savait comment se tirer de la situation dans laquelle il s'embourbait d'autant que ses yeux, malgré tous ses efforts, étaient irrésistiblement attirés par la Faëlle.

– Chiam! Quel bon vent t'amène? Mais... c'est Artis que je vois là!

Ellana s'était approchée. Sans bruit à son habitude. Elle ébouriffa familièrement les cheveux d'Artis Valpierre qui s'empourpra, rejoignant Salim dans le clan des victimes de la séduction féminine.

Le rêveur avait toujours éprouvé des sentiments ambivalents à l'égard de la marchombre, à la fois irrité par l'indépendance de son caractère et ébloui par sa personnalité et son physique. Ellana en abusait sans vergogne, s'amusant de le voir rougir et bafouiller dès qu'elle l'abordait. Charitable pour une fois, elle n'insista pas et se détourna pour embrasser chaleureusement Chiam Vite. Ils échangèrent quelques phrases qui témoignaient de leur joie de se retrouver puis Ellana pivota vers Erylis. Chiam fit les présentations. Les deux jeunes femmes se toisèrent une seconde, chacune notant, peut-être avec une pointe de dépit, la beauté et le charisme de l'autre, puis Ellana remarqua le regard égaré que Salim portait sur la Faëlle. Un sourire naquit sur ses lèvres, reflet de celui qui illumina le visage d'Erylis découvrant l'attention béate qu'Artis prêtait à la marchombre.

– Je suis ravie de faire ta connaissance, affirma Ellana. Et apparemment, je ne suis pas la seule !

– Chiam m'a beaucoup parlé de toi et de tes talents, renchérit Erylis, mais il en avait omis un...

Elles éclatèrent d'un même rire joyeux qui scella leur complicité.

Chiam se joignit à elles tandis que Salim repartait vers l'avant du convoi et qu'Artis grimpait sur son banc pour relancer son attelage, tous deux conscients que si le ridicule tuait vraiment, ils seraient l'un et l'autre étendus raides morts.

– Voilà, tu sais tout. Ellana quitte Al-Jeit, mais lorsqu'elle reviendra, les jours du conseil seront comptés. Et ceux de Jorune encore plus.

Salim chevauchait aux côtés d'Ewilan à qui il venait de résumer les péripéties des deux derniers jours. Lorsqu'il avait compris que leur rencontre n'était pas due au hasard et qu'Ellana s'était entendue avec Edwin pour qu'ils se joignent à l'expédition vers Valingaï, un poids énorme avait quitté ses épaules. La vue d'Erylis avait beau l'avoir momentanément perturbé, c'était vers Ewilan que se concentraient ses pensées. La certitude de rester près d'elle pendant plusieurs semaines le comblait plus que n'importe quel trésor.

Le convoi avait rejoint la piste du Nord et Salim avait l'impression d'être revenu des mois en arrière, quand ils partaient pour Al-Poll afin de libérer les Sentinelles. Des amis, une équipée, de l'aventure... le bonheur. Il flatta l'encolure de son cheval, le fidèle Éclat de Soie, et décerna un sourire radieux à Ewilan qui menait Aquarelle d'une main en se massant l'abdomen de l'autre. Les boucles folles de la jeune fille se teintaient d'or dans la lumière du soleil naissant, ses immenses yeux violets étaient bien plus beaux que tous les regards émeraude du monde et sa silhouette menue plus attirante que les formes sensuelles des sirènes faëlles. Salim soupira d'aise, son équilibre enfin retrouvé.

– Tu sais, ma vieille, à nous voir réunis sur cette route alors que le monde entier complote à nous séparer, je ne suis pas loin de croire à une force qui nous lierait. Pas loin de croire au destin.

– Moi, cela fait un bon moment que j'y crois.

– C'est vrai ? Tu penses que nos vies sont liées par une force invisible ?

Ewilan hésita une seconde. Ce n'était pas à ce destin-là qu'elle avait fait allusion. Elle se pencha et effleura les lèvres de Salim d'un baiser.

– J'y crois plus que tout au monde.

3

Al-Jeit au cœur de la nuit.

Une forme sombre et vacillante se glisse dans un dédale de ruelles obscures. Capuchon noir, silhouette désarticulée, démarche chancelante.

But précis.

4

Deuxième limite à la prolifération du parasite n'ralaï, il ne peut s'introduire que dans un hôte dont la taille est sensiblement égale à la sienne.

Maître Beñat, *Le N'ralaï*

Il fallut moins d'une journée au groupe pour trouver sa cohésion. À l'exception d'Erylis, tous avaient déjà voyagé ensemble, ce qui simplifiait les choses, et la Faëlle était suffisamment fine pour que son intégration ne pose aucun problème.

Bientôt nul n'aurait pu se douter que, quelques jours plus tôt, elle ne connaissait personne. Les habitudes revinrent, les gestes d'entraide, les tâches communes, le tout formant une mécanique parfaitement huilée où chacun avait sa place, son utilité, en fonction de ses compétences et de sa personnalité.

Illian jouait le rôle de liant. En se réveillant il avait reconnu Salim et bondi dans ses bras. Ce dernier avait marqué une hésitation puis son caractère enjoué avait pris le dessus et il avait accepté de bonne grâce le rôle de grand frère que lui imposait le jeune garçon.

Illian ne se contentait toutefois pas de la relation privilégiée établie avec Ewilan et Salim. Il se juchait souvent sur un chariot près de maître Duom ou d'Artis et les bombardait de questions sur leurs métiers respectifs ou sur le spectacle qu'il découvrait au fil de la route. L'analyste et le rêveur se prêtaient volontiers au jeu, ce qui tirait un sourire teinté d'ironie à Ellana. La marchombre, étonnée de voir ces deux solitaires fondre devant Illian, ne se faisait toutefois pas d'illusion sur son propre compte : elle-même était tombée sous le charme du jeune Valinguite.

Chiam et Erylis n'étaient pas en reste, le Faël s'amusant beaucoup des leçons de conjugaison qu'avait entrepris de lui donner le garçon lorsqu'il s'était aperçu de son incapacité à manier les terminaisons des verbes.

Seul Edwin conservait ses distances.

Ewilan expliquait cette réserve par l'aura du maître d'armes qui impressionnait quiconque le côtoyait, fût-ce un enfant aussi extraverti qu'Illian, et par le double rôle qu'il devait tenir, à la fois leader de leur petit groupe et commandant de douze soldats de la Légion noire qui n'avaient aucune intention de se lier avec qui que ce soit.

Les légionnaires exerçaient en effet une surveillance constante sur le convoi mais n'accordaient pas davantage d'attention aux voyageurs qu'aux caisses empilées dans les chariots. Les courbes d'Erylis ou la démarche d'Ellana les laissaient de marbre, tout comme les pitreries d'Illian ou les sautes d'humeur de maître Duom. Ils mangeaient à l'écart et ne répondaient pas aux questions de plus en plus rares que leur posaient les autres membres de l'expédition.

– Ils considèrent que vous n'avez rien à leur demander, expliqua Edwin lors d'une pause en début de soirée, trois jours après leur départ d'Al-Jeit.

– Et moi je considère que ce sont des abrutis ! rétorqua Ellana du tac au tac.

– Les insulter est sans doute le seul moyen de les faire réagir, nota Edwin sans sourire, mais tu sauras à qui t'en prendre si leur réaction dépasse tes espérances.

– Tu crois vraiment que des troufions pourraient me surprendre ?

Edwin serra les mâchoires.

– Ces troufions, comme tu dis, seraient capables d'avaler dix marchombres chacun et d'avoir encore faim après !

Ils s'étaient installés pour la nuit non loin de la piste, dans un pré en pente douce qui venait buter contre une barre rocheuse, première marche d'une série de collines escarpées. Le soleil ne se coucherait pas avant une bonne heure mais le camp était déjà monté et les chevaux paissaient à l'écart. Les compagnons s'étaient regroupés à l'abri du vent, derrière les chariots, autour du tas de branches collectées pour le feu.

Alors que la conversation avait roulé jusqu'à présent sur des sujets plaisants, l'altercation entre Edwin et Ellana jeta un froid. La marchombre se leva d'un bond et s'éloigna d'un pas rageur.

Chiam Vite se pencha vers Salim et lui chuchota à l'oreille :

– Le manque d'intimité avoir parfois des conséquences imprévisibles...

– Le manque d'intimité ? Que veux-tu dire ?

– Ellana ne pas choisir cette expédition pour visiter Valingaï mais pour voyager près d'Edwin. Elle aimer sans doute partager des moments tranquilles avec lui même si un camp de soldats ne pas être un endroit très discret pour abriter des amoureux.

– Pourquoi ne s'écartent-ils pas ?

– Edwin être persuadé qu'un chef devoir rester toujours avec ses hommes, prêt à agir. Il croire faillir s'il penser à lui. J'avoir toujours dit que les Alaviriens ne pas être simples.

Ellana revint à ce moment, tenant par la bride Murmure et Éclat de Soie.

– Viens, lança-t-elle à Salim, nous allons faire un tour.

Le garçon lui jeta un regard surpris.

– Un tour où ?

– Il y a une bourgade à vingt minutes d'ici. J'ai envie de boire quelque chose de frais.

– Tu es sûre ? Nous avons galopé toute la journée et...

– J'ai dit que nous allions faire un tour.

Ellana n'avait pas élevé le ton mais le message était clair. Il était son élève, il lui devait la plus totale obéissance. Salim n'envisageait pas de remettre ce point en question. Il adressa un sourire désolé à Ewilan et suivit Ellana. Erylis décida qu'elle pouvait s'immiscer dans la scène qui se jouait.

– Et si nous les accompagnions ? proposa-t-elle à Ewilan.

– Bonne idée, répondit cette dernière sans la moindre hésitation.

– Ne t'inquiète pas, déclara Erylis à Edwin qui s'apprêtait à intervenir. Je me porte garante de la sécurité de ta protégée.

Sa protégée! Ewilan prit conscience que la Faëlle disait vrai. Non content d'avoir une expédition à diriger, le maître d'armes, découvrant qu'elle était en danger à Al-Jeit, s'était chargé de sa protection et il ne faillirait pas davantage à cette tâche qu'aux autres. En se démenant pour participer au voyage, elle n'avait prêté aucune attention au fardeau qu'elle faisait retomber sur les épaules d'Edwin. Il n'était pas son père après tout, rien ne l'obligeait à se sentir responsable d'elle...

Un cri d'Illian la tira de ses réflexions.

– Je viens aussi! Je viens aussi!

Chiam Vite le happa par l'épaule au moment où il passait devant lui.

– Non, toi tu rester avec moi. Tu m'apprendre à parler et je t'enseigner le tir à l'arc, d'accord?

Illian accepta avec joie cette contre-proposition et s'éloigna en compagnie du Faël sans plus s'occuper des autres membres de la troupe. Ellana se hissa en selle, imitée par Salim puis par Erylis. Ewilan s'approcha d'Edwin qui, toujours assis, observait les crêtes rocheuses des collines d'un air qu'il voulait dégagé.

– Merci de veiller sur moi, murmura-t-elle.

Il la dévisagea un instant puis un fin sourire étira ses lèvres.

– C'est un plaisir, jeune fille. Un véritable plaisir. Sois prudente là-bas. Tu es bien accompagnée mais, s'il t'arrivait malheur, tes parents ne me le pardonneraient pas. Et moi non plus.

Son esquisse de sourire disparut.

– Que cela ne t'empêche pas de profiter de ta soirée avec Salim, ajouta Edwin. Il faut savoir jouir des bonnes choses quand elles sont à portée. Crois-moi...

Le ton de sa voix jurait avec la gaieté de ses mots et Ewilan, en montant sur le dos d'Aquarelle, se promit de lui accorder désormais davantage d'égards. Edwin avait beau être un guerrier redoutable et un chef charismatique, il n'en restait pas moins un homme, ainsi qu'elle l'avait expliqué à Erylis. Un homme qui pouvait lui aussi avoir besoin d'aide.

5

Les gardes postés à la porte d'Améthyste regardent avec répugnance le mendiant qui sort d'Al-Jeit. Enveloppé dans un manteau sombre dont le capuchon rabattu lui masque le visage, l'homme avance d'un pas traînant en s'appuyant fréquemment aux murs pour ne pas perdre son fragile équilibre. Une odeur de sueur rance s'exhale de son corps dégingandé.

— Bon débarras, lance un des gardes en le voyant s'éloigner vers le nord.

6

Lorsqu'il a défini ce que sera sa future structure, le parasite n'ralaï entreprend de lui donner corps. Pour cela, il dévore son hôte de l'intérieur.

Maître Beñat, *Le N'ralaï*

Au moment où le ciel se teintait à l'ouest d'une surprenante couleur violine, les quatre compagnons atteignirent Barlaben. La bourgade s'étalait autour d'un castelet prétentieux construit au centre d'un plan d'eau, sur une île reliée à la berge par un pont de pierre.

Ils trouvèrent facilement une auberge avenante face au lac et, après avoir confié leurs montures à un garçon d'écurie, s'installèrent à l'intérieur. Il y avait peu de clients et la matrone qui servait derrière son comptoir vint rapidement s'enquérir de ce qu'ils souhaitaient consommer.

Ellana, qui avait recouvré sa bonne humeur durant leur course, commanda une bière, imitée par Salim et Erylis tandis qu'Ewilan se contentait d'un verre d'extrait de rougeoyeur glacé.

– Tu as perdu un gant ou est-ce la nouvelle mode chez les marchombres ? demanda-t-elle à Salim après avoir bu une longue gorgée de son breuvage sucré.

Salim fit jouer un instant, à la lumière des globes de lumière pendus au plafond, les fourreaux de soie noire de ses doigts.

– Disons que je trouve cet accessoire seyant. Tu n'es pas de cet avis ?

– Bof. Avec la chaleur qu'il fait, si tu le gardes en permanence, ta main gauche va vite sentir la viande avariée.

Salim se débrouilla pour détourner la conversation par une boutade et, pendant un moment, l'auberge retentit des rires des quatre amis, alimentés par les traits d'esprit du garçon et de la Faëlle. Erylis faisant preuve d'une redoutable ironie, Salim se déchaîna.

Rapidement, Ellana et Ewilan se contentèrent d'assister à leur joute orale. Si Ewilan remarqua que les yeux de Salim brillaient intensément en contemplant la Faëlle, s'égarant parfois sur les larges pans de peau nue que découvraient ses habits de fourrure, elle se tut. Erylis était désirable au-delà du raisonnable, sa bouche une invite aux baisers, son corps un appel à la passion, pouvait-on reprocher à Salim d'en subir l'enchantement ?

Elle commençait néanmoins à trouver la situation trop équivoque pour être confortable lorsque quatre hommes pénétrèrent dans l'auberge. Solidement bâtis, ils portaient les vêtements poussiéreux de ceux qui ont passé leur journée sur la route. Ils s'accoudèrent au comptoir et, pendant que la tenancière leur servait les bières qu'ils avaient commandées, jetèrent un coup d'œil dans la salle.

Leurs regards survolèrent la table qu'occupaient Ewilan et ses compagnons avant de revenir s'y fixer. Ils échangèrent quelques mots, l'un d'eux éclata de rire et ils s'approchèrent en roulant des épaules.

– On ne s'affole pas, murmura Ellana en voyant Salim se raidir. Ces types ne sont pas dangereux. Ils veulent juste s'amuser un peu... C'est à quel sujet, messieurs ?

– Nous avons voyagé d'une traite depuis Al-Chen, expliqua un des hommes, un barbu au front tavelé de marques rouges. Vous êtes de loin les plus jolies choses que nous ayons eu l'occasion de rencontrer pendant notre périple.

– Vous avez dit choses ? releva Ellana un rien moqueuse.

– Le problème c'est que nous sommes quatre et vous trois, poursuivit le barbu sans tenir compte de la remarque. Je devrais même dire deux, vu que cette demoiselle-là est un peu trop jeune et maigrichonne à mon goût, mais on va s'arranger pour passer une bonne soirée ensemble. Pas vrai ?

Il posa familièrement la main sur l'épaule d'Erylis. Salim bondit.

– Ne la touche pas, gros tas !

– Salim ! lancèrent la Faëlle et Ellana d'une seule voix.

Il ne leur prêta aucune attention. Debout, les poings serrés, il s'était planté devant les quatre hommes qui le dévisageaient avec surprise.

– Maintenant vous dégagez, cracha-t-il.

Ewilan avait légèrement reculé sa chaise, prête à intervenir, mais elle ne percevait aucune agressivité chez les voyageurs, juste un mélange de vantardise et de maladresse plus ridicule que dangereux.

L'attitude de Salim était en revanche franchement belliqueuse et risquait de les pousser à de regrettables extrémités. Elle nota la moue contrariée d'Erylis. La Faëlle, à l'image de son peuple, était éprise de liberté et tenait par-dessus tout à son indépendance. L'intervention de Salim, pour courageuse qu'elle fût, devait l'irriter au plus haut point. Ellana, quant à elle, avait croisé les bras. Elle ne cautionnait pas la réaction de son élève et n'interviendrait pas en cas de problème, c'était évident.

Inconscient de la précarité de sa position, Salim continuait à toiser les voyageurs.

– Du calme, mon garçon, sourit le barbu. Pourquoi aboyer de la sorte ? Va plutôt faire un tour avec ta copine et laisse-nous discuter entre adultes, d'accord ?

– Tu n'as pas compris ce que...

– *Attention, mon vieux, tu fais fausse route. En jouant les matamores, tu leur voles le ridicule...*

La voix, familière, avait résonné à l'intérieur de son esprit. Salim était un prodige d'adaptation, en une fraction de seconde il saisit le sens des paroles d'Ewilan. Il était toutefois trop engagé pour reculer de bonne grâce et, sans se l'avouer, rechignait à perdre une occasion de briller aux yeux d'Erylis.

– *Pas si sûr !* émit-il. *Je crois au contraire que...*

– *Elle a raison, jeune loup ! Un marchombre est finesse avant tout. La voie des nuages est à ce prix.*

La voix n'était pas celle d'Ewilan.

Les deux jeunes gens le comprirent au même instant et marquèrent un temps de surprise identique. Salim réagit le premier. Avec sa vivacité coutumière.

Il s'inclina dans une courbette outrancière.

– Vous avez raison, nobles voyageurs, dit-il avec emphase, et je vous prie d'excuser ma réaction aussi grossière que disproportionnée. Je vous laisse courtiser ces dames mais, à mon humble avis, vous devriez au préalable, afin d'augmenter vos chances de succès, tremper un bon moment dans un bain. La longue route que vous avez effectuée a déposé sur vos personnes, comment dirais-je, des... parfums. *Un coup de main, ma vieille, s'il te plaît !*

Ewilan sourit et se glissa dans l'Imagination au moment où les hommes, étonnés par le discours de Salim, se regardaient, leur aplomb enfin perturbé.

Une odeur épouvantable se dégagea soudain de leurs vêtements, si forte qu'Erylis, la plus proche d'eux, dut se pincer le nez. Rouge de honte, le barbu recula précipitamment, suivi de ses compagnons. Ils secouèrent leurs vestes comme si brasser de l'air pouvait chasser l'infâme remugle qui les imprégnait puis, devant l'inutilité de leurs manœuvres, se résignèrent à quitter l'auberge.

Salim se rassit, un sourire satisfait sur le visage, tandis qu'Ellana lui adressait un regard soupçonneux.

– Toi, tu ne t'es pas tiré seul de cette histoire ! N'est-ce pas, jeune fille ?

Ewilan ne répondit pas. Elle guettait le retour de la voix mystérieuse, son pouvoir tout entier tendu pour en découvrir l'origine. Pourtant lorsqu'elle retentit dans son esprit et dans celui de Salim, elle fut une nouvelle fois prise au dépourvu.

– *Bien joué, jeune loup. Bien joué...*

Puis la voix s'estompa.

Comme une écharpe de brume.

7

L'hôte, dévoré de l'intérieur, devient un cocon inerte qui, au bout de quelques jours, se déchire pour laisser sortir le parasite n'ralaï sous sa nouvelle forme.

Maître Beñat, *Le N'ralaï*

À leur retour au camp, ils trouvèrent Edwin qui les attendait en devisant avec Chiam Vite. Maître Duom et Illian dormaient dans le chariot bâché, Artis Valpierre ronflait, allongé près du feu qui lançait ses escarbilles vers le ciel étoilé, tandis que les hommes de la Légion noire surveillaient les environs, vigilants et presque invisibles dans la nuit. Edwin vint à leur rencontre comme ils finissaient d'entraver leurs chevaux.

— Alors ? demanda-t-il. La soirée a été bonne ?

— Pas mal, répondit Ellana, encore sur ses gardes.

Salim s'apprêtait à donner des précisions mais Ewilan lui aplatit les orteils pour lui intimer l'ordre de se taire.

— La région est calme et, avec les sentinelles postées autour du camp, nous ne risquons rien, reprit le maître d'armes sur un ton dégagé. Je vais profiter de la fraîcheur nocturne pour me dégourdir les jambes. La balade intéresse quelqu'un ?

– Désolée, repartit Erylis, mais je suis lasse. Je vais me coucher.

– Nous aussi, ajouta Ewilan en saisissant la main de Salim.

Edwin interrogea Ellana du regard.

– Ma foi, pourquoi pas.

Ils souhaitèrent une bonne nuit à leurs amis puis, côte à côte, s'éloignèrent en direction de la forêt proche. Ils n'étaient plus qu'à quelques pas de sa lisière lorsque Edwin passa son bras autour des épaules d'Ellana. Tout en marchant, la marchombre se pelotonna contre lui. Ils s'évanouirent dans l'obscurité.

– Puis-je savoir pourquoi tu m'as écrasé les orteils au risque de m'handicaper à vie ? s'indigna Salim dès qu'il fut seul avec Ewilan.

– Parce qu'Edwin ne s'adressait qu'à Ellana. J'ai craint que tu ne monopolises une fois de plus l'attention et j'ai préféré prendre les devants.

– Je suis plus fin que cela !

– Tu as sans doute raison, admit-elle sans se démonter, mais je crois préférable de te surveiller un peu. D'ailleurs, en parlant de finesse, je te rappelle que tes affaires sont de ce côté-ci du feu. De l'autre, c'est l'endroit où dort Erylis. Avec Chiam.

– Pourquoi dis-tu ça ? s'offusqua Salim.

– Pour rien, mon vieux, pour rien. Allez, on va se coucher.

– Je ne comprends vraiment pas ce que tu racontes !

– Aucune importance. Tant que tu ne te trompes pas de prénom en me murmurant des mots doux...

La lune n'était qu'un pâle croissant, les flammes avaient baissé, rendant le camp à l'obscurité, pourtant Ewilan nota avec satisfaction que Salim avait viré à l'écarlate. Penaud, il la suivit en silence.

À aucun instant, ils ne reparlèrent de la voix mystérieuse qui s'était adressée à Salim. À vrai dire, ils l'avaient oubliée.

Complètement oubliée.

Le lendemain matin, le voyage reprit, paisible malgré le rythme imposé par Edwin. Ils contournèrent Al-Chen par l'est au grand dam d'Ewilan qui aurait souhaité s'approcher du lac. Elle s'en expliqua à maître Duom peu avant qu'ils n'atteignent le pont sur le Gour et n'entament la deuxième partie de leur traversée de Gwendalavir.

– Depuis plusieurs semaines, depuis mon passage à l'Institution en fait, j'ai l'impression de ne plus être maîtresse de mon destin, comme si je suivais une route bordée de murs immenses qu'une force cosmique a tracée pour moi. C'est un sentiment étrange et désagréable. Inquiétant aussi. Je l'ai déjà ressenti une fois, sans l'angoisse qu'il véhicule aujourd'hui, lorsque la Dame m'a chargée de délivrer son Héros. C'est pour cette raison que j'aurais aimé longer le lac Chen. La Dame est si puissante ; si je la rencontrais, elle m'expliquerait peut-être ce qui m'arrive.

Maître Duom observa un instant Ewilan assise près de lui sur le chariot. Il se souvenait parfaitement de leur première rencontre, à Al-Vor, lorsqu'elle avait retrouvé le chemin de Gwendalavir après des années d'exil. Cela ne datait que de quelques mois, pourtant... elle était si jeune à l'époque. Ewilan évoquait le destin, avait-elle conscience de celui qu'elle s'était forgé par son intelligence et sa force ? De celui qu'elle avait offert à l'Empire tout entier ?

– Je ne suis qu'un vieux bonhomme qui n'a jamais eu d'enfants, commença-t-il en cherchant ses mots, mais...

– Oui ?

– Eh bien... le sentiment dont tu parles, cette impression de suivre une route avec des ornières qui te privent de ton libre arbitre, d'être guidée vers un dénouement que tu n'as pas choisi... Je ne trahis pas ta pensée ?

– Non, c'est ça. Poursuivez, je vous en prie.

– Ne crois-tu pas que ce sentiment est lié aux transformations qui se déroulent dans ton corps ? Tu deviens une femme, c'est une révolution à l'échelle de l'humain, la seule qui compte vraiment. Et si j'ai le souvenir d'avoir été assailli par des doutes similaires, c'est bien lorsque les premiers poils m'ont poussé au menton.

Ewilan retint de justesse un soupir de déception. Le passage de l'adolescence à l'âge adulte ! Maître Duom n'avait pas trouvé d'autre explication qu'une série de changements physiologiques archiconnus, certes importants mais dont les conséquences étaient tellement pâles au regard de ce qu'elle ressentait. Elle voyait que l'analyste avait envie de poursuivre la discussion, ils ne se comprenaient toutefois pas assez pour que ce désir soit réciproque. Un ronronnement familier lui offrit la diversion qu'elle recherchait.

– C'est vous qui réceptionnez les messages de Bruno Vignol ? s'étonna Ewilan en saisissant le chuchoteur qui s'était matérialisé entre eux.

– Oui. L'Empereur m'a confié cette tâche. Bruno Vignol prend très au sérieux la menace que représente Éléa Ril' Morienval et nous correspondons quasi quotidiennement. Regarde, il a dû attacher un bout de papier à la patte du chuchoteur.

Ewilan défit le lien minuscule et déroula le message.

– « R.A.S., et vous ? » lut-elle à haute voix. C'est laconique !

– J'imagine mal ce chuchoteur transporter une encyclopédie, se moqua maître Duom.

– C'est vrai, admit Ewilan avant de siffler Aquarelle qui vint se ranger près du chariot. À plus tard.

Elle se hissa sur sa selle avec une petite grimace de douleur. Si cette fichue cicatrice continuait à la faire souffrir, elle en parlerait à Artis. Puis Aquarelle, heureuse de retrouver sa jeune maîtresse, se lança dans un galop fou et Ewilan éclata de rire, toute inquiétude oubliée.

Le lendemain en fin de matinée, ils passèrent le Gour. La rivière qui dévalait des montagnes de l'Est était aussi impressionnante que dans le souvenir d'Ewilan. Elle charriait des arbres entiers arrachés aux versants escarpés par les torrents d'altitude, rougeoyeurs géants réduits à l'état de fétus par le courant impétueux qui les fracassait sur les rochers avant de les reprendre pour les projeter plus loin. L'eau jaillissait en gerbes d'écume blanche dans un tumulte effroyable qui rendait impossible la moindre conversation et, au-dessus du monstre liquide, le pont de Chen offrait aux voyageurs la beauté harmonieuse de ses deux voûtes.

La construction, sans avoir la force de l'Arche sur le Pollimage, était un prodige d'équilibre et de puissance, l'œuvre de dessinateurs géniaux qui avaient su magnifier l'art des bâtisseurs en un ouvrage parfait. En le traversant, Ewilan se demanda si ses compagnons ressentaient la même plénitude qu'elle ou s'il fallait avoir arpenté les Spires pour en goûter la lumineuse harmonie.

Depuis la mort de Nalio, Ewilan ne s'était plus enfoncée dans l'Imagination. Il ne se passait pas un jour sans qu'elle dessine mais uniquement des créations de base comme allumer un feu ou redresser une roue, créations qui ne nécessitaient pas de vrai pouvoir. La vue du pont lui donna envie de retourner dans les hautes Spires, pour se ressourcer... et pour vérifier si la méduse était toujours là ou, pire, si elle avait progressé. Confiante en sa jument, elle lâcha les rênes et se glissa dans l'Imagination.

Elle fila vers cette portion des Spires réservée aux plus grands dessinateurs, cet endroit où le nombre des possibles peut faire voler la réalité en éclats. Bien avant d'y parvenir, elle perçut la présence d'un danger extrême. Elle se baissa tandis qu'un fouet énorme, noir et luisant, cinglait les Spires juste au-dessus de sa tête.

La méduse n'avait pas avancé mais ses tentacules avaient monstrueusement grossi et pointaient désormais dans toutes les directions de l'Imagination.

8

Un mendiant vêtu d'une longue robe de toile sombre avance sur la route pavée qui relie Al-Jeit à Al-Chen. Capuche rabattue sur le visage malgré la chaleur, il pose lentement un pied devant l'autre comme si ce simple geste requérait un effort intense et une concentration de chaque instant. Il titube parfois, vacille à l'extrême limite de la perte d'équilibre puis se reprend.

Et continue à marcher.

9

Le n'ralaï est le seul parasite qui n'utilise pas uniquement son hôte comme source de nourriture. Il s'en sert comme modèle. Il le tue pour prendre sa place. Pour devenir lui.

Maître Beñat, *Le N'ralaï*

Maître Duom réagit de manière étrangement mesurée en apprenant la nouvelle. Il réfléchit quelques secondes puis hocha la tête.

– C'était sans doute inéluctable. J'espère que les Sentinelles trouveront une solution et...

– Les Sentinelles seront impuissantes face à la méduse ! s'emporta Ewilan.

– Remarque très constructive, lança l'analyste sur un ton de reproche. Si tu m'indiquais plutôt à quelle hauteur des Spires sévissent les tentacules et la manière de les éviter ? Ce sont des informations que nos collègues dessinateurs alaviriens aimeraient posséder, tu ne crois pas ?

– Les Sentinelles ont dû faire le nécessaire pour les avertir, persifla Ewilan.

Maître Duom lui jeta un regard surpris.

– Tu ne sembles pas les porter dans ton cœur.

– N'est-ce pas vous qui m'avez appris que les Sentinelles ne surveillaient plus grand-chose et que l'Empereur envisageait de les congédier ? rétorqua Ewilan. En outre, malgré ma bienveillance naturelle, je ne parviens pas à oublier que lorsque Éléa Ril' Morienval a trahi mes parents, ces mêmes Sentinelles n'ont pas levé le petit doigt pour les aider !

– Très bien. Si je veux obtenir des renseignements sur la méduse, je n'ai qu'à me débrouiller, c'est ça ? J'ai beau être un analyste de talent, je suis loin de savoir dessiner comme toi et je...

– C'est bon, je capitule ! En restant sur ses gardes, il est possible d'éviter les tentacules. Ils sont gros, ne bougent pas très vite et l'Imagination est une dimension qui autorise une grande mobilité. Bien sûr, le danger existe. Heureusement, les Spires basses que la plupart des Alaviriens utilisent pour leurs tâches quotidiennes ne sont pas concernées. Du moins pas encore...

Un sifflement strident l'interrompit.

Edwin revint vers eux au galop tandis que les légionnaires resserraient les rangs en tirant leurs sabres.

– Que se passe-t-il ? demanda le maître d'armes en pilant devant Chiam Vite qui avait donné l'alarme.

– Erylis avoir senti un brûleur, indiqua le Faël.

– Un brûleur ici ? s'étonna Edwin. À cent mètres du pont de Chen ? Je n'ai jamais entendu dire qu'on en ait vu hors d'Astariul. Tu es sûre de ce que tu avances, Erylis ?

– Certaine. Les brûleurs dégagent des ondes mauvaises que je perçois de très loin. Celui qui rôde dans les environs est énorme.

– Tu sais où il se trouve ?

Malgré leur singularité, Edwin venait d'accepter les paroles d'Erylis et, à son habitude, allait droit au but.

– Non, répondit la Faëlle, et c'est pour cette raison que je pense qu'il est énorme. Je le sens partout, il peut être devant nous ou nous suivre, tapi dans ce bosquet ou à vingt kilomètres d'ici.

– Tu ne m'aides guère...

Les yeux perdus dans le vague, Erylis ne tint pas compte de la remarque.

– Ce que je ne comprends pas, poursuivit-elle, c'est pourquoi je n'ai pas perçu plus tôt sa présence. Il n'y avait rien et, tout à coup, il a surgi !

– Formation rapprochée ! ordonna Edwin aux légionnaires. Ellana, Chiam, Erylis, tenez vos arcs prêts. Illian, tu t'abrites à l'intérieur du chariot. Nous continuons à la même allure en restant vigilants. En avant.

Ils s'éloignèrent du Gour et, bientôt, les mugissements de la rivière ne furent plus qu'un murmure qui finit par s'éteindre. La moitié nord de Gwendalavir était bien plus sauvage que la moitié sud. Al-Poll ayant été abandonnée depuis des siècles, on n'y trouvait, la Citadelle des Frontaliers mise à part, aucune ville importante. Les villages qui ponctuaient la piste étaient pour la plupart fortifiés afin de résister aux attaques des bandes de pillards et aucun habitant de la région ne s'éloignait de chez lui sans être armé.

189

– C'est quoi un brûleur ? questionna Salim en poussant Éclat de Soie près d'Aquarelle.

– Je ne sais pas trop, répondit Ewilan. Edwin en a parlé à mots voilés lorsque nous avons traversé les plateaux d'Astariul. Il s'agit d'une créature redoutable mais je t'avoue que je n'ai pas poussé plus loin mes investigations.

– Il faudrait qu'elle soit vraiment redoutable et surtout complètement givrée pour s'en prendre à ces gars, répliqua Salim en désignant les légionnaires du menton. Je me demande comment les Raïs ont eu seulement l'idée de se mesurer à eux !

– La Légion noire est une troupe d'élite qui compte peu de membres, intervint maître Duom. Les candidats passent des épreuves de sélection impitoyables et ceux qui réussissent suivent une formation longue, dangereuse et extrêmement complexe. Savez-vous qu'un légionnaire passe davantage de temps à l'Académie qu'un élève dessinateur ?

– À l'Académie ? s'étonna Ewilan.

– Oui, c'est maître Elis qui s'occupe de leur instruction. Il leur enseigne comment faire face à d'éventuelles attaques par l'Art et comment utiliser au mieux leurs compétences de dessinateur quand ils en ont. Elis est d'ailleurs traditionnellement le parrain de chaque nouvelle promotion et sans doute la personne que les légionnaires révèrent le plus, après Edwin certes, mais avant l'Empereur. Ce qui explique la conversation houleuse qui a opposé Elis à notre guide. L'un et l'autre refuseraient de l'admettre mais il existe entre eux une vieille rivalité qui n'est pas prête de s'éteindre.

– J'ignorais cela, dit Ewilan. Bon sang, qu'est-ce que c'est ?

Un hurlement s'élevait de la forêt proche, effroyablement inhumain. Il alla crescendo, atteignant des aigus insupportables, puis décrut et s'éteignit dans un gargouillis révoltant. Les chevaux s'agitèrent, oreilles dressées, des filets de sueur dus à la peur coulant sur leurs flancs.

Salim jeta un coup d'œil affolé sur sa droite. La lisière d'un bois se dressait à une dizaine de mètres de la piste puis, très vite, le relief s'accentuait, une barre rocheuse blanche jaillissait de la cime des arbres, rebondissait en vires escarpées jusqu'au sommet d'une colline rocailleuse, bouchant l'horizon à l'est.

Edwin cracha un ordre bref. Dans un ensemble parfait, les douze légionnaires firent volter leurs montures et se placèrent en bouclier entre le convoi qui s'était arrêté et l'orée de la forêt. Ils se tinrent immobiles, leurs lances pointées vers la menace invisible, leurs armures de vargelite luisant sombrement sous le soleil ardent de cette mi-journée. Un silence pesant s'établit, amplifié par le bruissement doux du vent dans les hautes herbes, puis le hurlement effroyable retentit à nouveau. Plus proche cette fois-ci.

Un frisson d'inquiétude prémonitoire parcourut Ewilan. Elle n'avait pas le pouvoir d'Erylis de ressentir les choses à distance, pourtant elle percevait de manière presque douloureuse la malignité de la créature qui approchait.

Illian, qui avait glissé la tête sous la bâche du chariot pour observer ce qui se passait, la rentra précipitamment et se blottit entre les sacs avec un gémissement de terreur.

Les Faëls avaient saisi leurs arcs et les tenaient bandés, une flèche encochée prête à fuser.

Artis Valpierre, blanc comme neige, tentait de calmer les chevaux de son attelage tandis que Salim murmurait des paroles apaisantes à l'oreille d'Éclat de Soie.

La bulle d'attente angoissée qui s'était formée éclata soudain. Les arbres qui se dressaient à la lisière de la forêt s'écartèrent avec violence.

Le brûleur apparut.

10

Astariul est le seul endroit de Gwendalavir où se côtoient deux formidables prédateurs : la goule et le brûleur. Deux tueurs qui ne s'affrontent jamais.

Seigneur Saï Hil' Muran, *Journal de bord*

C'était une effrayante créature à l'allure reptilienne, dressée sur huit pattes hideusement griffues. Sa gueule était un gouffre béant bordé d'une triple rangée de dents acérées, au-dessus duquel deux yeux globuleux luisaient d'un éclat rougeâtre. Son corps était couvert d'une fourrure pâle et clairsemée d'où jaillissaient de longs flagelles environnés d'une aura électrique bleutée. Haut de deux mètres et long de presque dix, il se glissa hors de la forêt en ondulant souplement.

— À l'attaque ! hurla Edwin en talonnant son cheval.

L'animal, malgré sa peur, se rua en avant. En un éclair il fut sur le brûleur qui se cabra. Le sabre du maître d'armes cliqueta en parant le coup de griffes qui aurait dû le décapiter et s'abattit en un arc de cercle étincelant.

Le brûleur rugit lorsque l'acier entama son cuir et se jeta de toute sa masse sur Edwin. Ses crocs brillèrent mais le maître d'armes, d'une pression des genoux, avait sollicité son cheval. Ils étaient hors d'atteinte. Les légionnaires lancèrent alors leurs montures dans un galop dévastateur aussi irrésistible qu'un raz de marée. Le brûleur était un prédateur qui ne se connaissait pas de rival. Il fonça sur ses adversaires, décidé à les réduire en charpie.

Évoluant comme à la parade, les légionnaires se scindèrent en deux files qui passèrent de chaque côté du monstre en furie. Les lances se fichèrent dans ses flancs, des flots de sang pourpre jaillirent des affreuses blessures ouvertes par les lames dentelées. Un des cavaliers s'approcha toutefois trop près. Sa cuisse frôla un flagelle et une explosion de lumière électrique le jeta à terre. Avant que ses compagnons aient pu intervenir, la créature avait frappé. Sa gueule se referma sur le légionnaire qui poussa un cri d'agonie bref et déchirant lorsque les mâchoires monstrueuses cisaillèrent son torse en deux.

Un combat acharné débuta. Les cavaliers étaient contraints au contact, ce qui aurait dû les désavantager, mais ils maîtrisaient parfaitement leurs montures, faisant corps avec elles jusqu'à former un seul être, mi-homme mi-cheval. Ils attaquaient sans relâche, insensibles à la peur et aux blessures qui, malgré leurs armures de vargelite, laissaient ruisseler le sang de nombre d'entre eux. De tous, Edwin était le plus pugnace. Son destrier virevoltait, son sabre frappait de taille et d'estoc, pourtant le brûleur ne faiblissait pas. Un deuxième légionnaire toucha un flagelle et fut jeté au sol par une décharge électrique. Ses compagnons se précipitèrent pour le protéger. Deux d'entre eux sautèrent à terre pendant que les autres établissaient un rempart de leurs armes et, soudain, le champ fut libre devant le brûleur. La tête du monstre oscilla comme si, pour la première fois de son existence, il envisageait la fuite.

– Vous lui coupez la retraite, regagnez vos places! vociféra Edwin en repartant à l'attaque. Protégez le groupe!

Trop tard.

Les légionnaires regroupés autour du blessé empêchaient le brûleur de se réfugier dans la forêt alors que rien ne se dressait entre lui et les chariots. Il bondit en avant. Ewilan le vit arriver sur eux à une vitesse hallucinante, ses mâchoires dégoulinantes de sang ouvertes sur sa triple rangée de crocs acérés.

Elle se jeta dans les Spires au moment où les Faëls et Ellana décochaient enfin leurs flèches. Les traits, bien que parfaitement ajustés, se fichèrent dans le corps du brûleur sans le ralentir. D'autres flèches sifflèrent et d'autres encore. La marchombre avait beau tirer à une allure folle, Chiam et Erylis se montraient bien plus rapides, leurs mains volant de leur carquois à leur arc, presque invisibles tant elles allaient vite. Le brûleur marquait un temps d'hésitation lorsqu'un quatrième tireur se joignit à eux.

Salim se servait du gant d'Ambarinal!

De longues flèches noires jaillirent du néant pour s'enfoncer à quelques centimètres des traits déjà plantés dans le cuir du brûleur. Chiam et Erylis tiquèrent un bref instant devant l'incroyable vision de Salim utilisant un arc immatériel puis se ressaisirent tandis que leurs doigts reprenaient leur danse magique.

Le brûleur avait parcouru la moitié de la distance qui le séparait des chariots. Il stoppa sa course, leva sa gueule vers le ciel et poussa un hurlement strident alors qu'Edwin, du tranchant de son sabre, ouvrait une nouvelle blessure dans son flanc.

Ewilan, elle, luttait pour sa vie.

Elle s'était précipitée dans l'Imagination poussée par un seul désir : sauver ses amis. Si elle n'arrêtait pas ce monstre, si elle ne trouvait pas une solution... Elle était montée dans les Spires en quête d'un possible et n'avait dû qu'à un prodigieux réflexe de ne pas être happée par la méduse. Un tentacule avait sifflé à une infime distance de son esprit, tandis que d'autres se déployaient pour lui couper toute retraite.

La sensation était affolante. Ewilan avait conscience de ce qui se passait autour d'elle, de ses amis qui criblaient le brûleur de flèches, d'Edwin qui luttait, des légionnaires qui tardaient à reprendre le combat, mais elle ne pouvait ni bouger ni parler, à peine réfléchir. Son esprit était piégé dans l'Imagination et seule son extraordinaire habileté lui avait permis jusqu'à présent de ne pas être terrassée par la méduse.

Elle virevolta entre les Spires, se glissa sous un tentacule, tentant de quitter l'Imagination tout en cherchant un moyen d'intervenir dans la bataille contre le brûleur. Par un intense effort de volonté, elle se contraignit au calme. La méduse avait progressé, certes, mais elle semblait frapper au hasard, incertaine de la localisation de sa proie. Faisant appel à toutes les ressources de son pouvoir, Ewilan feinta, fila sur une Spire libre, revint en arrière, bondit par-dessus un tentacule et découvrit soudain ce qu'elle cherchait. Son dessin se matérialisa au moment où elle réintégrait la réalité avec un soupir de soulagement.

Il y eut un vrombissement assourdissant. Un épieu de bois long de quatre mètres, épais comme une cuisse et aussi effilé qu'une aiguille, traversa l'air avec la dernière volée de flèches des défenseurs des chariots. Il se ficha dans le corps du brûleur dans un bruit écœurant, le projetant en arrière avec la force d'une tornade.

Le brûleur poussa un ultime rugissement, une écume sanglante bouillonna aux coins de sa gueule alors que ses pattes avant tentaient vainement d'arracher le pal fiché dans sa poitrine.

Il fut agité d'un spasme violent puis il s'arqua. Se raidit. Ne bougea plus.

L'aura électrique à l'extrémité de ses flagelles s'éteignit.

Edwin sauta à terre. Il courut jusqu'au légionnaire étendu au sol alors que quatre soldats s'assuraient que le brûleur était bel et bien mort. Artis Valpierre rejoignit le maître d'armes en effectuant un grand détour pour éviter le corps du monstre.

Edwin était déjà en train d'ôter à l'homme inconscient son armure de vargelite. Son bras droit et une bonne partie de son torse présentaient d'affreuses brûlures qui tirèrent une grimace à Artis. Ewilan, qui l'avait suivi, effleura son épaule alors qu'il s'apprêtait à dérouler son rêve de guérison.

– L'Imagination n'est pas sûre, l'avertit-elle. Quelque chose y rôde. Quelque chose de dangereux.

Artis fronça les sourcils.

– Je ne saisis pas le sens de tes propos, avoua-t-il. Souviens-toi que je ne dessine pas, je rêve et ce que tu appelles Imagination m'est totalement étranger. De plus, cet homme a besoin d'être soigné rapidement.

Il se détourna, posa les mains sur la poitrine du légionnaire et ferma les yeux. Il les rouvrit très vite.

– Je ne peux rien faire, murmura-t-il, la mine défaite. Il est mort.

11

Pour la première fois de sa longue vie de marchand itinérant, Ivan Wouhom regrette d'avoir offert à un voyageur de monter près de lui sur sa charrette.

L'espèce d'escogriffe sombre auquel il a proposé son aide deux heures plus tôt dégage en effet une épouvantable odeur de sueur rance qui suffirait à terrasser un Raï éméché, mais ce n'est pas tout. Le petit marchand de graines oublierait volontiers la puanteur si le type à ses côtés faisait un effort de conversation, or l'inconnu n'a pas proféré un mot. Pas un seul. Ivan Wouhom lui a bien posé quelques questions, a tenté de lui parler du commerce des graines et de la foire d'Al-Chen, en vain.

Enveloppé de sa cape sombre alors que le soleil dispense une chaleur de tous les diables, le visage entièrement dissimulé par sa capuche, son voisin se tait, ne semble même pas s'apercevoir qu'on lui adresse la parole.

Seule sa respiration sifflante et saccadée rompt le silence auquel Ivan Wouhom s'est finalement résigné.

12

Il est souvent difficile d'observer la différence entre un n'ralaï et la créature dont il a pris l'apparence. Surtout lorsque l'hôte était un être peu complexe.

Maître Beñat, *Le N'ralaï*

Ils avaient quitté Al-Jeit depuis huit jours.

Huit journées de voyage agréable avant que l'expédition qui avait débuté sous les meilleurs auspices, les soudant dans une camaraderie riche et forte, ne tourne au drame.

Ewilan contempla les tumulus de pierres érigés sur la sépulture des légionnaires. Les soldats avaient creusé une fosse dans le pré où avait eu lieu l'affrontement puis y avaient déposé les corps des deux morts revêtus de leur armure de vargelite. Maître Duom avait prononcé une allocution poignante de sobriété qui avait ému Ewilan aux larmes. Après un ultime hommage silencieux aux victimes du brûleur, Edwin avait jeté dans la tombe la première poignée de terre.

Les légionnaires avaient traîné derrière les buissons à la lisière de la forêt le cadavre du brûleur, effrayant au-delà de la mort, puis, semblant tirer un trait définitif sur ce qui s'était déroulé, avaient repris leur faction vigilante autour des chariots. Ewilan n'avait pas entendu le son de leur voix.

Une petite main vint se nicher dans la sienne.

– Tu es triste ?

– On est toujours triste quand quelqu'un meurt.

– Sauf quand il est méchant ou quand on ne le connaît pas.

Ewilan s'agenouilla pour se mettre à la hauteur d'Illian.

– Les légionnaires sont gentils même si je ne connais pas vraiment les hommes qui se trouvent derrière leurs armures. Je leur suis reconnaissante de nous défendre et malheureuse que deux d'entre eux soient morts.

– Je comprends, mais moi je préfère que ce soient eux plutôt que toi ou Salim. Il en reste dix. Ça suffit pour nous défendre, non ?

Ewilan soupira. Elle ne se sentait pas capable d'expliquer à Illian l'inhumanité de ses paroles. Pas maintenant. Elle se releva en réprimant une grimace et passa une main sous sa tunique pour se masser le ventre.

– Ils nous attendent, fit-elle remarquer au jeune garçon. On y va ?

Illian hocha gravement la tête. Côte à côte, ils repartirent vers les chariots.

Ils ne chevauchèrent qu'une heure avant de dresser le camp dans une combe où coulait un ruisseau limpide sur un lit de cailloux blancs. Edwin donna quelques ordres brefs aux légionnaires puis s'approcha d'Erylis qui étrillait son cheval tandis que Salim, Ewilan et Ellana s'occupaient des leurs.

— Il faut que nous parlions de ce brûleur.

— C'est le second que je rencontre, répondit la Faëlle. Tu en sais beaucoup plus que moi sur ces monstres.

— Il n'aurait jamais dû se trouver là! Pas de ce côté-ci du Pollimage et pas à deux jours d'Al-Chen. C'est impossible.

— La preuve... ironisa Ellana.

— Tu as dit que tu ne l'avais senti qu'au dernier moment, reprit Edwin sans prêter attention à la raillerie de la marchombre, et que cela t'avait surprise.

— En effet. Depuis que je suis enfant, je perçois les choses cachées, souvent sans m'en rendre compte. Une sorte de pouvoir... pas comme le tien, Ewilan, mais pratique quand même. Les créatures alaviriennes dégagent des ondes que je ressens parfois, surtout si elles sont proches. C'est le cas des brûleurs. Celui qui nous a attaqués m'a donné l'impression de surgir du néant. J'aurais dû deviner sa présence bien plus tôt.

Edwin se tourna vers Ewilan.

— Les brûleurs sont assez redoutables sans se matérialiser par surprise! Je sais qu'ils ne possèdent pas cette aptitude. Penses-tu qu'il soit possible de...

— Faire un pas sur le côté avec une pareille bestiole?

— Oui.

Ewilan prit un air dubitatif.

– Il faudrait vraiment être très fort.

– Tu pourrais y parvenir ?

– Peut-être, mais j'aurais besoin d'une sérieuse raison pour m'y risquer. Je te rappelle qu'entraîner quelqu'un ou quelque chose lorsqu'on effectue un pas sur le côté requiert de le toucher. À quoi ou plutôt à qui penses-tu ?

– Tu me poses la question ?

– Elle ? Ça ne tient pas debout !

– Et pourquoi donc ?

– Parce que déplacer un brûleur en espérant qu'il nous carbonise est un plan stupide et qu'Éléa Ril' Morienval est tout sauf stupide. Elle aurait pu imaginer mille autres stratagèmes lorsque nous étions à Al-Jeit.

Edwin opina pensivement.

– Tu as sans doute raison. Pourtant ce brûleur n'avait rien à faire ici et tant que je n'aurai pas compris ce qui se passe, je nous considérerai en danger !

Il tourna les talons et s'éloigna sous les regards surpris de ses compagnons.

– Qu'est-ce qui lui arrive ? s'étonna Salim.

– Il a perdu deux hommes, répondit Erylis. N'importe qui, à sa place, éprouverait de la peine.

– Ce n'est pas son émotion qui me surprend mais sa réflexion sur le danger. J'ai vu Edwin affronter des hordes de monstres sanguinaires avec le détachement que je mets à lacer mes chaussures. Le brûleur était impressionnant, d'accord, mais...

– Le combat ne s'est pas déroulé comme il aurait dû, intervint Ellana, c'est cela qui trouble Edwin. Il...

– Je sais, la coupa Salim, deux soldats ont...

Une lueur inquiétante dans les yeux de la marchombre interrompit son début de diatribe. Il leva les mains en signe d'excuse.

– Tu souhaitais poursuivre? s'enquit-il.

– Oui. Les légionnaires sont des guerriers surentraînés, mortellement efficaces et ils ont manœuvré comme des débutants. Ils ont tergiversé, accumulé les maladresses.

– Les maladresses? Tu es dure! Ils ont cogné avec conviction!

– Et ouvert un passage vers le chariot dans lequel le brûleur s'est empressé de s'engouffrer!

– Mais tu...

– Laisse-moi finir. Rien ne permet de porter la moindre accusation et je ne m'y risquerai pas plus qu'Edwin. Toutefois un doute plane. Et le doute, pour un homme tel qu'Edwin, est le pire des dangers.

13

L'engagement consenti par un Faël et sa compagne lorsqu'ils s'unissent est éternel. Éternel au sens littéral du terme.

Maître Carboist, *Mémoires du septième cercle*

Illian s'était endormi dans les bras d'Ewilan.

Avec précaution, elle le porta jusqu'au chariot. Elle le déposa sur la couche qu'elle lui avait aménagée entre les sacs et les vêtements chauds prévus pour la traversée des montagnes de l'Est. Le jeune garçon se glissa sous sa couverture sans même ouvrir les yeux. Ewilan le contempla un instant alors que sa respiration prenait un rythme lent et régulier.

Elle savait qu'elle était à sa place en accompagnant Illian jusqu'à Valingaï. La force qui la poussait en avant et que, faute de mieux, elle appelait destin, le lui criait. Elle espérait simplement que cette force émanait de l'affection qu'elle éprouvait pour le petit garçon et n'était pas un courant l'entraînant vers l'avenir sombre qu'elle entrevoyait parfois.

Elle revint vers le feu et s'assit près de Salim qui lui sourit et passa un bras sur son épaule.

Elle se blottit contre lui. Elle avait conscience de ne pas toujours lui offrir ce dont il avait besoin, ce qu'il méritait, ces gestes, ces mots, ces regards qui sont le reflet de l'amour mais, là encore, elle ne se sentait pas totalement maîtresse de ses actes.

Elle se força à chasser de son esprit ces pensées désagréables et se concentra sur la conversation de ses amis. Chiam harcelait gentiment Salim.

– Alors tu être un archer redoutable ?

– Bien moins que toi ou Erylis !

– Je ne pas me souvenir avoir vu ton arc, insista le Faël sans se laisser distraire par le compliment.

– Ben... Je... balbutia Salim en jetant un regard implorant à Ellana.

La marchombre resta de marbre mais Erylis, qui vérifiait les flèches récupérées sur le corps du brûleur, vint à son secours.

– Tu n'es qu'un vilain curieux, monsieur Chiam ! lança-t-elle. Salim n'a pas envie de parler, tu ne devrais pas insister. Prends modèle sur Artis. Lui se comporte en homme délicat !

Les yeux de tous les compagnons se tournèrent vers le rêveur qui s'empourpra.

Chiam Vite éclata de rire.

– Parce que tu être délicate d'utiliser ton charme pour entrer dans les rêves de notre ami Artis afin de détourner la conversation de Salim et de son gant ? s'exclama-t-il.

Erylis eut la bonne grâce de paraître confuse. Pourtant, lorsqu'elle rejeta en arrière sa chevelure blanche, mettant ainsi en relief la sensualité de son corps, il apparut clairement qu'Artis ou Salim n'étaient que des pions dans le jeu amoureux qu'elle jouait avec Chiam. Celui-ci, d'ailleurs, ne s'y trompa pas.

– De toutes les perles de notre peuple, tu être la plus merveilleuse, lui déclara-t-il, et je bénir le jour où tu accepter de devenir ma compagne, le jour où je devenir le plus jalousé des Faëls !

Chiam était un compagnon gai et enjoué mais il se livrait très peu et ses déclarations étaient aussi rares que ciselées. Ses mots créèrent une bulle magique qu'illumina le regard échangé par Ellana et Edwin. Salim referma ses bras autour d'Ewilan qui nicha sa tête dans son cou.

– Mon brave Artis, bougonna maître Duom, quelque chose me dit que nous sommes de trop. Je te propose de nous retirer afin de laisser la nuit à ceux à qui elle appartient. Sauf, bien sûr, si tu as l'intention de me faire une déclaration d'amour en public...

Salim ne put retenir un monumental éclat de rire qui devint vite contagieux. Lorsque l'hilarité générale s'éteignit enfin, une partie de la tension nerveuse accumulée par le groupe s'était dissipée. La soirée se poursuivit, douce et chaleureuse.

Autour du camp, les soldats de la Légion noire montaient la garde.

Le lendemain, des nuages sombres venus de l'ouest s'amoncelèrent au-dessus de leurs têtes, un vent pénible se leva en bourrasques chaudes et désagréables. Les chevaux s'agitaient, nerveux, sursautant lorsque retentissait dans le lointain le roulement d'un coup de tonnerre. Ils retrouvèrent leur calme quand le convoi s'engagea dans une dense futaie de feuillus aux troncs rougeâtres.

Bien que la journée ne fût qu'à sa moitié, la lumière baissa jusqu'à devenir crépusculaire. Un silence étrange s'installa au sein de la troupe. Les conversations s'espacèrent, les rares phrases échangées devinrent murmures. Les pas des chevaux s'atténuèrent. Le sol de la forêt était recouvert d'une épaisse couche de mousse qui avait envahi la piste et amortissait les chocs, contribuant à feutrer l'atmosphère sonore, la rendant presque mystérieuse.

Ewilan se laissa glisser du dos d'Aquarelle et se hissa sur le banc, à côté de maître Duom.

– Tu nous suis gentiment, d'accord ? demanda-t-elle à sa jument.

L'analyste lui jeta un coup d'œil amusé.

– Toujours persuadée que ce canasson te comprend quand tu lui parles ?

– Aquarelle n'est pas un canasson, vous le savez fort bien, rétorqua Ewilan. Et pour vérifier si elle comprend mes paroles, il suffit de la regarder.

La jument, débarrassée du poids de sa cavalière, s'était ébrouée puis avait accordé son pas sur celui des chevaux de l'attelage. Ses oreilles se dressèrent lorsqu'elle entendit son nom et elle tourna vers Ewilan un regard brillant d'intelligence.

– C'est une belle bête, j'en conviens, déclara maître Duom, et certainement plus maligne que bon nombre d'Alaviriens. Que me vaut le plaisir de ta visite ?

Ewilan caressa le bois poli d'une ridelle avant de se lancer.

– Pensez-vous qu'Éléa Ril' Morienval ait réellement transporté le brûleur grâce à un pas sur le côté ?

– C'est possible. Cette femme est capable de tout.

– Je ne comprends pas. Comment peut-on se montrer aussi malfaisante ?

– Sans doute en s'enfonçant dans une solitude et un malheur très profonds.

Le vieil analyste avait murmuré ces derniers mots mais ses paroles trouvèrent un écho attentif chez Ewilan.

– Que voulez-vous dire ?

Maître Duom s'octroya un instant de réflexion avant de répondre.

– Éléa n'a pas toujours été le monstre que tu connais.

Ewilan ne réagissant pas, il poursuivit :

– Je l'ai connue il y a une vingtaine d'années. À cette époque, j'enseignais l'Art de l'analyse à l'Académie d'Al-Jeit. Éléa était une des élèves les plus brillantes que j'aie jamais eu l'occasion de rencontrer. Elle était vive, extrêmement intelligente, volontaire et ambitieuse mais aussi généreuse et pleine d'humour. Nous, ses professeurs, l'adorions sans exception, ce qui, compte tenu de nos sales caractères, constitue un véritable exploit !

– Vingt ans... Mes parents ont étudié en même temps qu'elle à l'Académie ?

– Ton père, oui. Ta mère nous a rejoints trois ans plus tard.

– Et que s'est-il passé ?

– Le destin d'Éléa semblait tracé. Tout lui souriait. Elle serait Sentinelle, récolterait la gloire, le bonheur... Et puis, comme cela arrive si souvent, un grain de sable s'est glissé dans cette existence de rêve. Une déception. Un chagrin. Une blessure qui s'est infectée peu à peu, la détournant de ce à quoi elle croyait pour l'attirer vers de sombres horizons. Je venais de m'installer à Al-Vor et c'est par Elis Mil' Truif que j'ai appris combien elle avait changé. Elis a eu beau tout essayer, il n'a pas réussi à extraire le venin qui s'était infiltré en elle. Éléa est devenue Sentinelle – seuls tes parents étaient aussi puissants qu'elle – mais les germes du malheur étaient semés et, un jour, elle a trahi. Tu connais la suite de l'histoire.

Plus que par ses mots, Ewilan avait été touchée par l'émotion de maître Duom. Elle se remémora les paroles d'Illian : « Un jour elle a dû aller dans la même Académie que toi, avoir des amis, rire avec eux, se trouver un amoureux... Elle a beau être très méchante, elle reste une personne. » Le jeune garçon avait raison, bien sûr, mais il aurait été tellement plus simple qu'Éléa Ril' Morienval ne soit que l'incarnation du Mal. Ce n'était pas le cas, la Sentinelle félonne était un être humain. Elle possédait une personnalité complexe qu'on ne pouvait réduire à une image commode même si la tentation était grande. La méduse incarnait le Mal, Éléa Ril' Morienval n'était que son ennemie personnelle. Ce qui était amplement suffisant !

– Quel grain de sable a pu causer une telle métamorphose ? s'entendit-elle demander.

Le visage de maître Duom se ferma.

– Éléa a souffert mais elle est responsable de ce qu'elle est devenue. Inutile de remuer le passé.

Ewilan eut beau insister, elle ne put en apprendre davantage.

14

Longtemps, les Alaviriens accostant l'île des Nimurdes ont craint d'être contaminés par la piqûre d'un n'ralaï. Il leur a fallu des années pour comprendre que, faute d'un animal piqueur suffisamment gros, l'homme ne risquait rien.

Maître Beñat, *Le N'ralaï*

L'orage n'éclata pas. Le temps resta menaçant jusqu'en milieu d'après-midi puis le vent changea d'orientation et les nuages se dissipèrent. La forêt céda la place à une série de collines arrondies, à la végétation éparse, que la piste contournait la plupart du temps, épargnant ainsi les montures mais allongeant considérablement la route.

Le lendemain et le surlendemain, le paysage demeura identique. Des hardes de siffleurs détalaient souvent devant eux et Chiam repéra plusieurs fois des empreintes qu'il identifia comme celles d'un tigre particulier à la région, plus petit et moins dangereux que son cousin des prairies. Chassé pour sa fourrure, il se méfiait des hommes et les fuyait.

Ewilan et Salim eurent beau scruter les bosquets et les hautes herbes, ils ne décelèrent la présence d'aucun prédateur.

Depuis l'affrontement avec le brûleur, Edwin semblait inquiet. Il chevauchait en tête mais se retournait fréquemment, portant la main à la poignée de son sabre sans raison apparente. Ewilan, qui avait toujours été impressionnée par le sang-froid du maître d'armes, essaya de l'interroger. Il refusa de se livrer et elle comprit vite que s'il avait des soucis, il ne les partagerait pas avec elle. La situation, malgré le décès de deux légionnaires, ne paraissait pourtant pas alarmante et elle se demanda comment réagirait Edwin lorsqu'ils auraient franchi les frontières de l'Empire pour s'engager dans l'inconnu.

Leur dernière traversée d'un village remontait à la veille au matin et ils n'atteindraient pas le prochain avant deux jours. Erylis, qui trouvait que le voyage manquait d'animation, proposa à Salim et Ewilan d'engager leurs chevaux dans une course de vitesse. Sans en référer à Edwin qui aurait à coup sûr argué d'un problème de sécurité pour le leur interdire, ils talonnèrent leurs montures et s'élancèrent vers le sommet de la colline la plus proche et le cairn qui s'y dressait.

Pendant quelques centaines de mètres, les chevaux galopèrent côte à côte, partageant l'enthousiasme de leurs maîtres et donnant la pleine mesure de leur fougue pour leur offrir la victoire. Couchée sur l'encolure d'Aquarelle, Ewilan se délectait du vent qui fouettait son visage et du sentiment d'ivresse que lui procurait la course. Elle était persuadée de gagner, aussi fut-elle surprise lorsque Sinuïle, sa maîtresse lui chantant une mélopée faëlle à l'oreille, se détacha inexorablement. La jument d'Erylis, comme envoûtée, allongea son galop qui devint irrésistible. Elle parvint largement en tête à la hauteur du cairn. Lorsque Ewilan puis Salim rejoignirent la Faëlle, elle était déjà à terre, leur offrant un sourire rayonnant... teinté d'un soupçon d'ironie.

– Pas mal, les jeunes, apprécia-t-elle. Vos chevaux auraient certainement gagné s'ils avaient couru contre un âne !

Sans tenir compte de leur mine offusquée, elle poursuivit :

– On a une vue remarquable d'ici. Profitons-en parce que mon petit doigt me souffle qu'au retour, Edwin nous passera un beau savon.

Ewilan sauta du dos d'Aquarelle qui haletait alors que Sinuïle paraissait aussi fraîche que si elle n'avait pas galopé.

– Que lui as-tu chanté pour lui donner des ailes ? demanda la jeune fille. Elle n'est même pas essoufflée !

– Secret faël, ma belle, répliqua Erylis.

Ewilan leva les yeux au ciel en souriant et pivota pour contempler le chemin qu'ils avaient parcouru. Les chariots, rendus minuscules par la distance, progressaient au rythme lent des chevaux de trait, encadrés par les formes sombres des légionnaires. Salim crut discerner un salut de Chiam et agita un bras pour lui répondre.

Le vent soufflait plus fort à cette altitude, malgré les nombreux rochers qui constellaient la colline et lui imposaient détours et ruses pour atteindre les cavaliers et leurs chevaux.

Ewilan s'assit à l'abri du cairn, admirant la silhouette d'Erylis qui se découpait sur le ciel céruléen pommelé de nuages cotonneux. La Faëlle était belle comme une déesse sauvage, son corps délié irradiant une sensualité presque magique. Inconsciente du regard admiratif d'Ewilan et de celui plus ardent de Salim, elle s'étira, caressa Sinuïle avant de se tourner vers eux.

– On rentre ? proposa-t-elle.

Un sifflement aigu retentit à cet instant précis. Tout près. Erylis virevolta avec une grâce aérienne et, soudain, son arc fut dans ses mains, une flèche encochée, son empennage ramené jusqu'à sa joue, sa pointe braquée sur Ewilan. Celle-ci n'y prêta pas garde. Elle fixait, stupéfaite, le serpent orangé qui se tortillait dans les affres de l'agonie sur le rocher auquel elle était adossée une seconde plus tôt. L'étoile métallique qui l'avait décapité gisait un peu plus loin.

Salim bondit et, du pied, repoussa le reptile.

– Un pourprier ! s'exclama-t-il. Si une de ces bestioles te pique, tu meurs dans les cinq minutes !

Ewilan tendit la main pour s'emparer de l'étoile de jet.

– Qui a lancé ce truc ? s'enquit-elle d'une voix blanche en dévisageant Salim.

Le garçon secoua la tête en signe de dénégation. Erylis fit décrire un arc de cercle complet à sa flèche mais il apparut très vite qu'ils se trouvaient seuls au sommet de la colline. Les rochers environnants étaient trop bas ou trop lointains pour qu'un homme s'y embusque, et la précision du jet impliquait la proximité immédiate du tireur.

216

– Depuis notre départ, j'ai plusieurs fois senti une présence près de nous, murmura Erylis, mais jamais je n'ai réussi à la surprendre. Je suis pourtant réputée au sein de mon peuple pour ma discrétion. Je ne pense pas que celui ou celle qui nous épie nous veuille du mal – il n'aurait pas sauvé la vie d'Ewilan – mais nous ne traînerons pas ici. En selle.

La voix de la Faëlle avait pris un ton de commandement auquel il n'était pas envisageable de désobéir. Moins de cinq minutes plus tard, les trois compagnons avaient rejoint le convoi.

Erylis rapporta l'incident à Chiam et à Edwin, tandis que Salim en parlait à Ellana. Ils n'évoquèrent toutefois réellement le problème que le soir autour du feu de camp. Ewilan résuma les faits et attendit les réactions de ses compagnons.

– Ce n'était pas toi, Salim ? Tu en es certain ? insista maître Duom.

Le garçon se contenta de hausser les épaules en jouant avec l'étoile de jet trouvée sur le cairn.

– Si Erylis percevoir une présence, déclara Chiam, c'est que quelqu'un être là ! Que nous le voir pas ne revêtir aucune importance.

Il y avait tant de confiance dans sa voix qu'Ellana ne put retenir un sourire.

– Je ne saisis pas ce qu'il y a de drôle, intervint Edwin. Tu n'as jamais aimé être surveillée que je sache.

Il faisait allusion à leur première rencontre avec Chiam Vite, près des Dentelles Vives entre Al-Vor et

Al-Chen. La marchombre n'avait pas hésité à escalader une paroi rocheuse vertigineuse pour demander des comptes à une bande de Faëls qui l'épiaient, faisant ainsi la preuve de ses étonnantes capacités physiques... et de son mauvais caractère.

– Ce n'est pas la même chose, répondit Ellana sans perdre son sourire.

– Ah bon ?

– Oui. Cette fois je sais de qui il s'agit. Et j'ai beaucoup de respect pour celle qui nous suit.

15

– ... Et il n'a pas ouvert la bouche du voyage. Pendant quatre jours ! Si ce type n'avait pas senti la fosse à purin, je l'empoignais pour le jeter hors de mon chariot !

Ivan Wouhom, marchand de graines de son état, continue à narrer son étrange rencontre. Il est accoudé au comptoir d'une taverne d'Al-Chen et se délecte de l'attention dont il est l'objet.

À l'extérieur, il fait nuit noire.

La silhouette sombre d'un mendiant progresse lentement vers le nord.

16

Des maîtres éleveurs ont plusieurs fois tenté d'inoculer le parasite à des bêtes d'élevage afin de découvrir si l'animal qu'ils créaient ainsi possédait les mêmes caractéristiques que son hôte.

Maître Beñat, *Le N'ralaï*

– Atteindrons-nous bientôt la Citadelle ?

Edwin secoua la tête.

– Nous ne monterons pas si haut. Dès que nous serons sortis d'Ervengues, nous bifurquerons à l'est pour gagner une passe dans les montagnes à proximité de l'Œil d'Otolep.

Ewilan ne put contenir une moue de déception.

– J'aurais aimé revoir Siam.

– Moi aussi, rétorqua Edwin, mais le détour nous prendrait au moins trois jours. Ce n'est pas envisageable.

– Pourquoi ? Personne ne nous attend...

– La région de l'Œil d'Otolep est très particulière. Des phénomènes étranges s'y déroulent et maints voyageurs s'y sont égarés alors qu'ils connaissaient les lieux. Nous devons en outre gagner les rivages de la mer des Brumes avant que les tempêtes estivales ne débutent. Deux raisons de ne pas traîner en route.

Ewilan dut se plier à ces explications. Constatant qu'Edwin ne semblait pas désireux de poursuivre la conversation, elle se tut et consacra son attention à la remarquable forêt qu'ils traversaient.

Ils avaient franchi la veille la lisière d'Ervengues et, bien que ce fût la deuxième fois qu'Ewilan empruntait cette piste, elle avait l'impression de découvrir avec des yeux neufs la majestueuse beauté des arbres gigantesques qui se dressaient autour d'eux. Peu de taillis ou de ronciers inexpugnables ici, mais des fûts immenses que cinq hommes se donnant la main auraient été bien en peine d'encercler. Leurs premières branches, énormes, se déployaient à dix mètres de leurs racines noueuses et leurs cimes se perdaient dans un lointain verdoyant.

Les arbres étaient pour la plupart des rougeoyeurs et, si l'époque où ils se teinteraient d'or avant de se dénuder pour l'hiver n'était pas encore arrivée, le sol de la forêt était néanmoins couvert d'une épaisse couche d'aiguilles accumulée au fil des ans qui conférait aux lieux, en étouffant les sons, une atmosphère feutrée et apaisante.

La lumière, qui filtrait au travers des frondaisons en longs rais parallèles, éclatait sur le sol en flaques mordorées tandis que les points lumineux des insectes et des grains de pollen virevoltaient entre ombre et clarté.

L'ensemble dégageait un sentiment de sérénité qui donnait envie de s'asseoir pour se perdre dans une méditation contemplative sans fin.

Depuis qu'Ellana leur avait appris l'identité de celle qui les suivait, Ewilan s'était surprise plusieurs fois à scruter les environs pour tenter d'apercevoir la frêle silhouette d'une vieille femme. Elle n'était pas la seule. Agissant de leur propre chef, les légionnaires avaient élargi leur périmètre de surveillance et il n'était pas rare que l'un d'eux, entendant un bruit suspect, piquât les flancs de son cheval pour foncer vers un buisson ou un arbre. Il en revenait la mine inexpressive mais, Ewilan n'en doutait pas, profondément déçu.

Ellana les avait pourtant prévenus :

– Ellundril Chariakin est un mythe incarné. La mort en personne n'a jamais réussi à la surprendre. Si j'ignore pourquoi elle a décidé de se joindre à nous, je sais en revanche que tant qu'elle aura décidé de rester invisible, nul ne la verra !

Salim avait renchéri en racontant pour la dixième fois à Ewilan ses aventures dans les cachots de la guilde, enjolivant l'intervention d'Ellundril Chariakin jusqu'à ce que son amie le repousse en riant.

– Arrête, veux-tu. Tu parles d'une femme, douée, d'accord, mais d'une femme, pas d'une créature surnaturelle et immortelle !

– J'ai des doutes sur son statut de simple mortelle, était intervenue Ellana. D'après ce que je sais, Ellundril Chariakin est âgée de trois cents ans. Au moins.

L'annonce avait jeté un froid et, depuis, les regards s'égaraient plus souvent que nécessaire aux abords de la piste.

Edwin décréta la pause pour la nuit dans une clairière qui jouxtait la route. Une source jaillissait d'une butte moussue avant de se perdre entre les racines des rougeoyeurs. Ils dressèrent le camp à proximité puis, alors que les légionnaires se mettaient en faction, Ewilan alluma le feu. Elle avait pris l'habitude de se méfier en entrant dans l'Imagination, même lorsqu'elle ne faisait qu'une brève incursion dans les Spires les plus basses. Jusqu'à présent elle n'avait pas perçu de danger et, cette fois encore, elle ne décela pas de traces de la méduse. Elle savait toutefois que si elle avait tenté un dessin plus complexe qu'une simple flamme, elle aurait couru le risque d'être happée par un tentacule mortel. Le souvenir de la méduse ramena ses pensées à Al-Jeit. Que faisaient les Sentinelles ? Avaient-elles trouvé un moyen de lutter contre le danger qui menaçait les dessinateurs ? Ewilan en doutait mais elle espérait qu'elles œuvraient au moins dans ce sens.

Les compagnons se rassemblèrent lorsque le chaudron posé sur des pierres brûlantes dégagea une appétissante odeur de ragoût. Pendant que maître Duom servait de grandes louches dans les bols que lui tendait Salim, Edwin, à son habitude, dressa le programme du lendemain.

– Nous quitterons Ervengues en fin de matinée. Peu de temps après, nous abandonnerons la piste du Nord pour nous diriger vers les montagnes de l'Est. Dans moins d'une semaine, nous devrions avoir atteint les rivages de la mer des Brumes.

– Verrons-nous l'Œil d'Otolep ? s'enquit Erylis.

– Non. Nous embarquerons plus au sud. Des villages de pêcheurs ponctuent la côte. Ils ne dépendent pas de l'Empire mais, en alignant quelques pièces d'or, nous ne devrions pas avoir de mal à trouver un volontaire pour nous faire traverser.

– Ça être dommage, constata Chiam. Avoir-tu peur que l'Œil d'Otolep refuser ta présence ?

– Je crains seulement que nous ne puissions pas traverser la mer des Brumes si nous tardons, répondit Edwin. Je suis surpris par tes insinuations.

La peau hâlée du Faël se teinta de rouge.

– Accepter mes excuses, mon ami. Je avoir parlé trop vite car je savoir qu'Erylis être déçue.

Les lèvres d'Edwin se plissèrent en un semblant de sourire.

– Ce n'est pas grave. Sache toutefois que par deux fois je me suis baigné dans l'Œil.

– Tu t'être... Je avoir vraiment raisonné comme un Raï. Je être désolé.

Le sourire d'Edwin s'élargit. Il connaissait la haine ancestrale qui opposait les Faëls et les Raïs. Chiam venait de lui offrir, à l'aune des croyances de son peuple, ses plus plates excuses.

– Elles ne me concernent peut-être pas, intervint Ewilan, mais je n'ai rien compris à vos paroles.

– Si l'Œil d'Otolep est un lac, étrangement, tout le monde ne peut pas l'approcher et encore moins s'y baigner, expliqua Edwin. Certains voyageurs sont pris de convulsions en le voyant, d'autres s'évanouissent, d'autres enfin s'enfuient en courant. Ceux qui arrivent jusqu'à ses berges ont rarement le courage de se plonger dans ses eaux. Nul ne sait exactement ce qui génère ces phénomènes mais la légende veut que l'Œil soit le gardien des Spires. Il éloignerait les ennemis de l'Imagination et protégerait ceux et celles qui l'utilisent avec sagesse.

– Maître Duom pense qu'il s'agit d'une simple fable, remarqua Ewilan.

– C'est faux, la contredit l'analyste. Je ne pense rien. Je me contente de constater et d'avouer que ce que je vois dépasse ma compréhension.

– Moi, je n'aurai pas peur d'un bête lac!

Les regards se tournèrent vers Illian, assis entre Ewilan et Salim.

– Tu n'avoir peur de rien, pas vrai? lui demanda Chiam en souriant.

– Si, des fois j'ai peur, répondit le petit garçon en se pressant contre Ewilan. J'ai peur de la sorcière et j'ai peur de l'amour.

– De l'amour? releva Erylis. Quelle drôle d'idée.

– Quand Illian a rencontré la méduse dans les Spires, expliqua Ewilan, le mot amour lui est venu à l'esprit sans qu'il sache pourquoi. Ce même amour dont un message mystérieux m'a dit de me méfier il y a quelques semaines. C'était juste avant que la méduse ne surgisse dans l'Imagination.

– Cette chose qui envahit les Spires aurait à voir avec l'amour? s'étonna Ellana.

– Je l'ignore, répondit Ewilan, mais je sais qu'elle est redoutable et effrayante.

Elle sentit une gangue de chagrin se refermer autour de son cœur lorsque le visage de Nalio se mit à danser dans sa mémoire. Comme en écho à sa peine, la douleur dans son ventre revint. Lancinante.

– Je confirme, déclara maître Duom sans noter le trouble d'Ewilan. Je ne suis pas un grand dessinateur aussi n'ai-je découvert la méduse qu'il y a peu de temps. Je dois cependant avouer que depuis que je l'ai aperçue, j'hésite avant de me lancer dans l'Imagination.

– Évidemment, fit Ellana. Ce ragoût est excellent mais il aurait mérité une pincée d'herbes de pluie.

Ewilan marqua un temps de surprise. Son amie avait changé de sujet de conversation avec tant de désinvolture... Elle comprit lorsque Erylis, puis Chiam donnèrent à leur tour leur avis sur le ragoût. Il fallait être dessinateur pour appréhender la réalité de l'Imagination et donc le danger qui pesait sur elle.

La méduse menaçait l'ensemble des Alaviriens mais seuls quelques-uns en avaient conscience.

– *Ewie...*

Ewilan émergea d'un profond sommeil et se frotta les yeux. La voix qui avait résonné dans son esprit chuchota encore deux fois son nom avant qu'elle ne se réveille complètement.

– *Ewie... Ewie.*

Ses compagnons dormaient autour d'un feu qui n'était plus que braises, la nuit était calme, silencieuse.

– *Liven?*

– *Qui d'autre braverait la méduse pour te parler?*

– *La méduse! Liven, tu dois...*

– *Du calme, Ewie. C'est la panique à Al-Jeit et à l'Académie, plus personne n'ose dessiner depuis que deux Sentinelles sont mortes en tentant d'attaquer l'ennemie mais ce n'est pas compliqué d'éviter ses tentacules. Ouh là... Il n'est pas passé loin celui-là!*

– *Liven, sors des Spires immédiatement!*

– *Tu te fais du souci pour moi, Ewie?*

– *Liven, je t'en prie...*

– *Dis-moi d'abord comment tu vas.*

– *Nous avons eu des problèmes imprévus mais l'expédition continue. Et toi ?*
– *Comme l'avait prédit maître Duom, les examens de fin d'année ont été annulés. Nous ne nous sommes pas pour autant retrouvés en vacances. L'Empereur nous a convoqués. À sa demande, nous travaillons à mettre en place un système de surveillance de l'Imagination et de défense de l'Empire qui remplacera celui des Sentinelles. Il s'agit d'un projet secret mais je trouve logique que tu sois au courant et puis...*
– *Oui ?*
– *Ce qui s'est passé l'autre jour entre nous n'était pas un jeu, Ewie. Tu me manques terriblement.*
– *Je...*
– *Non. Je ne te demande pas de te décider, j'ai bien trop peur de ce que tu pourrais me dire. Je voulais simplement que tu saches à quel point tu comptes pour moi. Je t'attends, Ewie. De toute mon âme.*

Les derniers mots de Liven se diluèrent dans la nuit et Ewilan se retrouva seule, le cœur battant la chamade. Elle demeura allongée sur le dos, les yeux grands ouverts, fixant la voûte céleste sans vraiment la voir.

Jusqu'à l'aube.

17

Les mots veuf et veuve n'existent pas en langue faëlle. Pourquoi nommer un être qui ne survit pas plus d'une semaine?
Maître Carboist, *Mémoires du septième cercle*

Constatant que l'infusion matinale qu'il préparait remportait un franc succès et lui attirait de nombreux compliments, maître Duom avait pris l'habitude de se lever à l'aurore pour mettre de l'eau à chauffer et sélectionner les herbes qu'il utiliserait. Il œuvrait habituellement dans le plus grand silence afin de ne réveiller personne, conscient qu'Edwin, dépourvu d'états d'âme, n'hésiterait pas une seconde à donner le signal lorsqu'il considérerait nécessaire que le camp émerge de sa léthargie.

Deux jours après avoir quitté Ervengues, alors que le soleil pointait à peine, Ewilan fut tirée du sommeil par un chapelet de jurons sonores. Elle sortit la tête de la couverture dans laquelle elle s'était enroulée et se dressa sur un coude. Edwin, Ellana et Chiam, regroupés autour d'un fagot de bois sec, parlaient avec animation tandis que maître Duom, assis, se tenait la tête à deux mains.

– Que se passe-t-il ?

Edwin tourna vers elle un visage inquiet qui acheva de la réveiller.

– Viens.

Elle obtempéra sans prendre le temps d'enfiler ses bottes. Maître Duom lui adressa un regard où l'angoisse le disputait à la colère.

– Je ne parviens plus à pénétrer dans l'Imagination ! cracha-t-il.

Ewilan hésita une seconde entre les multiples interprétations que pouvait engendrer cette déclaration avant de conclure que l'analyste était victime d'un malaise.

– Je vais chercher Artis, lança-t-elle.

Edwin lui attrapa le bras alors qu'elle s'éloignait.

– Duom va bien, corrigea-t-il. C'est l'Imagination qui est inaccessible. Je n'arrive pas non plus à dessiner !

– L'Imagination ? réagit Ewilan. Que racontes-tu ? Je vais…

– Non, attends, ne tente rien pour l'instant.

Ewilan, qui se préparait à investir les Spires, se figea, surprise.

– Je ne nie pas que vous ayez rencontré un problème mais il se peut que je réussisse où vous avez échoué.

Le maître d'armes vrilla ses yeux dans ceux d'Ewilan.

– C'est justement ce que je crains.

– Edwin a raison, intervint maître Duom d'une voix inquiète. Il y a trop de risques que la méduse soit à l'origine de cette perturbation. Qui sait ce que tu trouveras dans l'Imagination si tu parviens à y entrer ? J'ai peur qu'un drame affreux ne soit en train de se tramer.

Les autres membres de l'expédition s'étaient approchés à leur tour et, rapidement, maître Duom, toujours assis devant son fagot, devint le centre d'un cercle de regards attentifs. Il se leva, conscient de la piètre image qu'il donnait de lui, et s'offrit une contenance en brossant les brindilles accrochées à ses vêtements.

– Bon... Nous avons déjà connu semblable situation lorsque les Ts'liches tenaient les Spires. Nous ne devons pas nous affoler. Certes plus personne ne peut dessiner mais...

– Maître Duom !

– Oui, Ewilan ?

– Ce n'est pas parce que deux personnes n'ont pas réussi à allumer un feu que l'Imagination est interdite et qu'une catastrophe menace. Nous devrions prendre le temps d'effectuer quelques vérifications avant de désespérer, non ?

Elle avait mis dans ses mots toute la persuasion dont elle était capable. Maître Duom hocha la tête sans paraître réellement convaincu. Un tressaillement nerveux agitait sa paupière gauche et ses mains tremblaient. Ewilan avait beau juger cette réaction disproportionnée, elle la comprenait. Même lorsque le verrou ts'lich avait restreint l'utilisation des Spires, les Alaviriens n'avaient jamais été complètement coupés de l'Imagination. Si ce qu'avançaient Edwin et maître Duom était exact, il y avait de quoi perturber le plus impavide des hommes, a fortiori un vieil analyste ayant passé sa vie à étudier l'Art du Dessin.

Et il n'y avait qu'un moyen de savoir la vérité.

– Je vais essayer, annonça-t-elle.

– Ils ont dit que c'était dangereux! s'exclama Salim.

– Tu devrais attendre, conseilla maître Duom. Il faut que je réfléchisse.

– Et si tu... commença Artis Valpierre.

– Stop!

Ewilan avait crié.

– L'un d'entre vous se sent-il capable d'expliquer à Edwin la manière de tenir un sabre? Ou à Artis comment soigner un blessé? Qui se risquerait à donner des recommandations à Ellana quand elle escalade une falaise, à Chiam quand il utilise son arc? Personne! Alors, écoutez-moi. Je dessine. Comme Edwin se bat, Artis soigne, Ellana grimpe ou Chiam tire. C'est mon Don et je n'accepterai aucun conseil, aucun avertissement. De quiconque!

Un long silence succéda à sa diatribe puis Salim émit un court sifflement, avant de hasarder un commentaire:

– Dis donc, ma vieille, tu ne deviendrais pas un peu prétentieuse?

Les grands yeux violets d'Ewilan brillèrent, mais ce n'était pas de colère, et sa voix se fêla tandis qu'elle répondait à Salim.

– Je... Je l'ignore... Tu as peut-être raison... Je sais toutefois où se trouve mon devoir et je l'accomplirai même si je dois me passer du soutien de ceux que j'aime.

La phrase, flèche parfaitement ajustée, toucha Salim au cœur. Il tendit la main vers Ewilan qui ne lui prêta aucune attention. Elle se tourna vers maître Duom qui avait recouvré l'entière maîtrise de ses émotions.

– Que ressentez-vous lorsque vous tentez de dessiner?

– J'ai l'impression de me heurter à un mur. Tu m'en vois désolé mais je suis incapable de te donner davantage de précisions.

– Très bien. J'essaie.

Cette fois-ci personne ne risqua la moindre remarque et Ewilan se glissa dans les Spires. Ou du moins tenta.

Elle n'avait jamais eu conscience de la frontière qui séparait le monde réel de l'Imagination. Elle basculait si vite de l'un à l'autre qu'elle pensait que, si frontière il y avait, c'était dans son esprit qu'elle se trouvait. Pour la première fois elle visualisa la limite entre les deux dimensions. Une frontière infinie, pareille à un grillage au maillage serré, traversait l'univers. Habituellement, elle se glissait tel un courant d'énergie entre les mailles sans les voir, mais désormais c'était impossible. Un magma noir et putride grouillait derrière la frontière, bouchant chaque interstice en tentant sauvagement de la traverser. La méduse !

En un éclair, Ewilan comprit ce que maître Duom voulait dire en parlant d'un mur et une vague d'angoisse la submergea lorsqu'elle saisit les intentions de la méduse. Abattre ce mur ! Quitter l'Imagination pour se matérialiser en Gwendalavir !

Au même instant, elle réalisa que toutes les mailles n'étaient pas obstruées. Elle pouvait passer.

Sans réfléchir davantage, elle fonça.

Elle frôla la masse sombre en frissonnant et se retrouva dans les Spires. Le corps de la méduse n'avait pas bougé mais ses tentacules s'étaient multipliés de manière démesurée. La plupart se pressaient toutefois contre la frontière entre les dimensions, exerçant une poussée titanesque, et elle réussit à éviter ceux qui se tendirent dans sa direction. Catastrophée, elle contempla les dégâts occasionnés par la méduse. L'Imagination était un champ de ruines, le nombre des possibles accessibles s'était effondré. D'autres tentacules cherchèrent à la happer mais ils étaient lents et maladroits. Elle se faufila entre eux sans peine. Il lui fallut un long moment pour trouver ce qu'elle cherchait et, quand elle y parvint, elle poussa un soupir imaginaire de soulagement. Elle se glissa dans une maille libre. Quitta l'Imagination. Ouvrit les yeux.

Ses amis l'observaient avec des visages empreints d'inquiétude. Avant qu'ils manifestent leur joie de la voir saine et sauve, elle constata deux choses.

Le feu flambait haut et clair. Elle avait réussi à dessiner.

Le soleil avait dépassé la cime des arbres. Elle avait mis plus d'une heure pour créer une simple flamme.

18

Dans la majorité des cas, les n'ralaïs créés par les chercheurs alaviriens sont morts peu de temps après leur hôte.

Maître Beñat, *Le N'ralaï*

Maître Duom voulut à tout prix tenter une nouvelle incursion dans les Spires mais il ne parvint pas à visualiser la frontière dont parlait Ewilan et encore moins les failles qu'elle avait décelées. Il échoua, incapable de mesurer la limite entre le monde réel et l'Imagination. Cet échec qui avait pourtant l'avantage de le placer hors d'atteinte de la méduse eut pour effet de l'exaspérer.

– Je ne comprends pas ! s'exclama-t-il, mortifié. Cette entité n'a pas de forme propre puisqu'elle n'existe pas. Ce n'est qu'un dessin potentiel, comment pourrait-elle arriver ici ?

– Elle existe, croyez-moi, répliqua Ewilan, et vous faites fausse route si vous pensez qu'elle va demeurer dans l'Imagination.

– Que veux-tu dire ?

– Je suis persuadée que la méduse utilise les Spires comme un chemin entre son monde et Gwendalavir afin de nous envahir.

L'analyste secoua la tête.

– C'est impossible. On ne peut se déplacer qu'en esprit dans l'Imagination. Si elle s'y trouve physiquement, c'est qu'elle y a été conçue. Et de quel monde viendrait-elle ? L'autre monde, celui dans lequel tu t'étais réfugiée, le monde de Bruno Vignol, ne recèle aucune créature de ce type !

– Qui prétend qu'il n'y a que deux mondes ?

Maître Duom accusa le coup mais, très vite, sa pugnacité reprit le dessus. Sa brutale incapacité à dessiner nécessitait qu'il avance des explications – son équilibre mental en dépendait – et il refusait, par principe, celles que lui proposait Ewilan.

– S'il y en avait d'autres, nous les aurions sans doute découverts depuis longtemps. Tu as toutefois raison, l'existence de deux mondes et de deux mondes seulement ne peut être tenue pour une certitude. En revanche, il est acquis que rien n'existe physiquement dans les Spires. Toi-même, dessinatrice au pouvoir incroyable, ne t'y rends qu'en esprit. Je maintiens ce que j'ai dit. La méduse a été conçue dans l'Imagination, quelqu'un l'a créée, elle n'a pas de volonté propre et ne peut donc songer à nous envahir. Notre incapacité à dessiner doit avoir une autre cause.

– Le Dragon.

– Quoi, le Dragon ? Tu penses que c'est lui qui verrouille l'accès aux Spires ?

– Non. Le Dragon se déplace physiquement dans l'Imagination. Je le sais, je l'y ai rencontré.

– Euh...

– Si le Dragon le peut, pourquoi une autre entité, la méduse par exemple, n'en serait-elle pas capable ?

Maître Duom poussa un affreux juron.

– Par le sang des Figés, tu as raison, petite. Qu'allons-nous faire ?

– Continuer notre expédition, intervint Edwin. L'expérience m'a appris que lorsqu'on est impuissant à abattre un obstacle, il faut le contourner. Nous réglerons son compte à la méduse lorsqu'elle se matérialisera en Gwendalavir. Si elle se matérialise.

– L'Amour est trop fort ! Tous les soldats du monde ne pourront rien contre lui !

Edwin jeta un coup d'œil à Illian qui venait de donner son avis d'un ton plein d'assurance. Il ne jugea pas nécessaire de se lancer dans une discussion avec lui.

– On lève le camp, décréta-t-il. Je veux que dans dix minutes les chariots soient chargés.

Ewilan obtempéra en silence.

Elle savait qu'Illian avait raison.

Ils abordèrent les premiers reliefs des montagnes de l'Est en fin d'après-midi. La piste, bien moins large que celle qui se dirigeait vers la Citadelle, disparaissait parfois sous l'herbe ou les buissons sur de longues distances avant de réapparaître lorsque le terrain devenait rocailleux. Edwin n'hésita toutefois jamais sur la direction à prendre et l'allure du convoi ne faiblit pas malgré la déclivité croissante et les obstacles naturels. Lorsqu'ils dressèrent le camp pour la nuit, les sommets se dessinaient à la limite de leur champ visuel, vertigineuses aiguilles de roc et de glace, cols inaccessibles couverts d'un épais manteau de neiges éternelles.

– Il y a vraiment une piste qui monte là-haut ? demanda Salim. On dirait la chaîne du Poll !

– Détrompe-toi, rétorqua Edwin. La chaîne du Poll est beaucoup plus élevée. La traverser est un exploit alors que quatre passes permettent de franchir les montagnes de l'Est pour atteindre l'Œil d'Otolep. Le trajet sera facile.

Salim prit un air dubitatif mais ne répondit rien. Ewilan, qui n'avait prêté aucune attention à l'échange, s'approcha du tas de bois amassé pour le feu. Chiam Vite avait tiré un briquet de son paquetage et s'apprêtait à l'enflammer.

– J'aimerais essayer, dit-elle avec un sourire penaud, du moins si ce n'est pas trop pressé...

Le Faël lui adressa un clin d'œil amical.

– La soupe de maître Duom pouvoir attendre. Faire ce que tu vouloir mais être prudente, d'accord ?

– Promis.

Ewilan se glissa dans les Spires ou, plutôt, s'approcha des Spires. La frontière se dressait devant elle, soumise comme en début de journée à une colossale poussée. Toutefois, les brèches qu'Ewilan avait remarquées étaient toujours présentes et elle n'eut aucune difficulté à se faufiler dans l'Imagination. La méduse bouchait de sa masse les Spires hautes mais la plupart de ses tentacules étaient occupés à forcer le passage entre les mondes et ceux qu'elle darda sur Ewilan manquèrent une fois encore de vivacité. Elle les évita sans mal.

Chiam était loin d'éprouver la sérénité qu'il affichait. Il avait beau être incapable de voyager dans l'Imagination, il savait qu'Ewilan courait un danger que ses flèches étaient impuissantes à repousser. Elle était immobile près de lui, ses yeux violets grands ouverts mais le regard absent, son esprit arpentant une dimension dont il peinait à se représenter la complexité. Chiam cracha un juron faël. Il n'aurait pas dû lui permettre de dessiner! Il s'apprêtait à appeler maître Duom lorsqu'un sourire de joie illumina le visage d'Ewilan. Elle sortit de sa transe au moment où le tas de bois s'embrasait.

– J'ai trouvé de nouveaux repères, expliqua-t-elle à Chiam. Les Spires ne sont pas belles à voir, dessiner quelque chose de subtil semble désormais hors de question, pourtant on peut leurrer la méduse tapie là-haut. Il m'a fallu combien de temps pour créer une flamme cette fois?

– Moins d'une minute, même si j'avoir l'impression qu'elle durer un siècle. Que t'arriver-t-il?

Ewilan venait de pousser un gémissement de douleur. Elle pressa ses mains contre son abdomen, pliée en deux par la souffrance.

– Ça va aller, murmura-t-elle enfin.

Chiam posa une main inquiète sur son épaule tandis qu'elle se redressait en respirant profondément, le visage livide.

– Tu être malade?

– Des maux de ventre me harcèlent depuis quelques jours. Je n'ai pas eu l'occasion d'en parler à Artis. Je crois que...

Un hurlement de Salim lui coupa la parole.

– Regardez! Là-haut!

Tous levèrent la tête.

La forme d'un immense animal se découpait dans un ciel teinté de pourpre et d'or. Il planait avec grâce et majesté, écrasant de démesure malgré l'altitude à laquelle il volait, être fabuleux pétri de puissance et de magie.

– Le Dragon !

L'exclamation d'Ewilan fut reprise à l'unisson par ses compagnons. Les légionnaires eux-mêmes se tordirent le cou pour suivre le vol de la légendaire créature et, pendant un long moment, n'exista plus que l'admiration sans limite des humains pour un être mythique qui hantait leurs rêves les plus fous.

Un être mythique qui filait comme le vent.

Droit vers l'est.

19

Le tigre se fige, sa formidable musculature ramassée en un concentré de violence prête à exploser.

Il a faim, son estomac lui crie de bondir sur la fragile créature qui titube sur la piste, de la déchirer de ses griffes et de ses crocs, de s'en repaître...

Son instinct lui hurle de s'abstenir.

L'humain est diminué, pitoyable au regard même de sa race chétive, pourtant il dégage, au-delà de sa faiblesse, l'aura d'une puissance effrayante. Une puissance qui le ravale, lui, seigneur des félins, au rang d'un chaton nouveau-né.

Frôlement dans les hautes herbes.

Le tigre se retire.

Affamé.

Vivant.

20

*Sur le plan strict de l'intelligence, un n'ralaï est toujours infé-
rieur à l'hôte dont il est issu.*

Maître Beñat, *Le N'ralaï*

Pendant le repas, les conversations tournèrent
évidemment autour du Dragon et de la Dame. Erylis
et Illian, les seuls à ne jamais les avoir rencontrés,
voulaient tout savoir sur eux et leurs compagnons se
firent un plaisir de répondre à leurs questions. Chiam
Vite alluma une lumière d'émerveillement dans les
yeux d'Illian en lui racontant comment le Dragon
l'avait sauvé d'une horde de Raïs qu'il combattait
aux côtés de Maniel et Bjorn.

— Ils être des centaines et, si nous avoir déjà tué
d'autres centaines, nous commencer à fatiguer. Le
Dragon être alors arrivé. Il ouvrir une gueule
immense où rougeoyer des feux pareils à ceux d'un
volcan. Des flammes jaillir, carbonisant nos ennemis,
les transformant en cendres. Ce être fini, tous les Raïs
être morts. Le Dragon pousser un terrible rugissement et repartir comme une flèche dans le ciel.

Illian se tourna vers Ewilan.

– C'est vrai ?

– Pour l'essentiel, oui. Chiam a un peu exagéré en comptant les Raïs mais le Dragon l'a vraiment sauvé comme il nous a sauvés plus tard sur l'île du Destin.

– Waahou ! Même les Khazargantes ne sont pas aussi forts. Tu crois qu'on le reverra ?

– Je n'en sais rien, répondit Ewilan. Qui sont les Khazargantes ?

– Des bêtes énormes, plus grosses qu'une maison, avec des défenses immenses et un long cou. Elles vivent dans les plaines Souffle. Tu crois que le Dragon va à Valingaï ?

– Il est inutile de chercher à deviner les projets du Dragon ou ceux de la Dame, Illian. Ils vivent au-delà de la compréhension des hommes et nous ne serons plus que des souvenirs qu'ils continueront ainsi.

– Parle pour toi ! s'exclama le petit garçon en haussant les épaules. Moi, je n'ai que huit ans !

Salim éclata de rire.

– Bien vu, Illian. Ewilan est une grand-mère qui pense que tout le monde est aussi vieux qu'elle !

– Ça c'est pas vrai, s'insurgea Illian. Ewilan n'est pas vieille, elle est belle et quand je serai grand, je...

Il se tut, prenant conscience des regards attentifs et vaguement amusés braqués sur lui. Ses joues devinrent écarlates.

– Et quand tu seras grand ? insista Salim, impitoyable.

– Je... euh... je...

– Oui ?

– Quand il sera grand, intervint Ewilan, il n'abusera pas de son expérience pour écraser plus jeune que lui !

Salim comprit le message et, sagement, ne s'obstina pas. La conversation bascula à nouveau sur le Dragon jusqu'à ce que maître Duom se lève en réprimant un bâillement.

— Je vais me coucher, annonça-t-il, et si vous étiez sages, vous m'imiteriez.

— C'est ce que nous allons tous faire, renchérit Edwin en se levant à son tour. Demain nous prendrons de l'altitude, la journée sera fatigante.

Les mots du maître d'armes marquèrent la fin de la soirée.

Tandis que le vieil analyste gagnait le chariot en compagnie d'Illian, les autres s'installèrent autour du feu qui ne tarda pas à baisser.

Lorsque les flammes ne furent plus que braises et que la nuit eut repris ses droits, le seul écho aux stridulations des insectes nocturnes était le souffle régulier des dormeurs.

— *Amour! Amour! Amour!*

La litanie martelait l'espace et le temps avec une sauvagerie malveillante, puisant sa force dans la douleur et l'angoisse de ceux qui l'entendaient. Chaque syllabe résonnait dans l'univers entier, le meurtrissant, le gauchissant jusqu'à ce que, soudain, la trame de la réalité se déchire.

Des tentacules noirs et luisants surgirent du néant, se tendirent dans toutes les directions, apportant la mort avec eux, n'épargnant rien ni personne. La fin du monde.

Ewilan se réveilla en sursaut.

— *Amour...*

Le mot retentissait dans son esprit, formant un écran que la sérénité de la nuit environnante mit de longues secondes à dissiper. Elle passa la main sur son front, s'obligeant à respirer avec lenteur pour chasser le cauchemar qui pulsait encore dans chacune des fibres de son corps. Elle se leva sans bruit.

– Que t'arrive-t-il? murmura Salim près d'elle.

– Un mauvais rêve. Je vais marcher un peu. Pour oublier...

– Je viens.

Ce n'était pas une question ni même une proposition. Aussi silencieux l'un que l'autre, ils s'éloignèrent du tas de cendres qui rougeoyait toujours.

Ils n'avaient pas fait trois pas que la voix d'Edwin s'éleva. Parfaitement éveillée.

– Ne dépassez pas la limite des arbres.

Puis celle d'Ellana. Gouailleuse.

– Ni les autres.

Salim n'eut pas le temps de trouver une réplique.

– Les limites exister pour être dépassées !

– Et si vous fichiez la paix à ces jeunes gens ?

Chiam et Erylis !

Son cauchemar eût-il été moins prégnant, Ewilan aurait éclaté de rire. Ses amis ne dormaient-ils jamais ? Ou avait-elle été moins discrète qu'elle ne le pensait ? Un ronflement sonore émis par Artis la rassura. Elle voyageait simplement avec quatre individus exceptionnels que le bruit le plus infime tirait instantanément du sommeil !

La limite indiquée par Edwin était sans doute celle du périmètre de surveillance des légionnaires. Ewilan se voyait mal tomber nez à nez avec l'un d'eux dans l'obscurité, elle s'assit donc dans l'herbe dès qu'ils se furent un peu éloignés. Avec l'altitude, les nuits étaient devenues fraîches. Elle frissonna et remercia Salim du regard lorsqu'il passa un bras autour de ses épaules.

– Alors, ce rêve ?

– La méduse.

– Encore ?

– Tu ne peux pas comprendre, Salim. Pour toi, elle n'existe pas mais pour moi, elle est là, plus proche de jour en jour. Et elle est si monstrueuse, si malfaisante...

Un nouveau frisson parcourut son dos.

D'angoisse cette fois.

Salim la serra contre lui. Il ne supportait pas de la voir souffrir ou s'inquiéter. Il avait besoin de son bonheur comme d'autres ont besoin d'oxygène. Elle devait être heureuse pour qu'il vive, c'était aussi simple que cela.

Dans un souffle chaud, il murmura des mots apaisants à son oreille tout en jouant avec les boucles folles de sa nuque. Ewilan sentit les battements de son cœur se calmer. Ils se remirent à accélérer lorsque la main de Salim quitta ses cheveux pour caresser la courbe de sa joue.

Elle pencha la tête, leurs lèvres se frôlèrent, s'éloignèrent, leurs bouches s'entrouvrirent, hésitèrent, revinrent l'une vers l'autre...

Un raclement de gorge les fit sursauter. Ellana se tenait à moins de trois mètres d'eux et, bien sûr, ils ne l'avaient pas entendue approcher.

– Je suis désolée mais Edwin a besoin de toi, Ewilan.

21

Le moment où l'hôte se déchire pour laisser naître le n'ralaï est un des épisodes les plus sauvages de la lutte pour la vie.

Maître Beñat, *Le N'ralaï*

Seuls Artis et Illian dormaient encore.

Assis côte à côte, Chiam et Erylis conversaient à voix basse près du feu qui avait été ranimé tandis qu'Edwin et maître Duom discutaient sans égards pour le sommeil du rêveur étendu à quelques pas d'eux.

– Je les ai trouvés, annonça Ellana lorsqu'ils atteignirent le camp. J'espère que c'est important parce que j'ai la nette impression de ne pas être arrivée au bon moment.

– Duom a reçu un message de Bruno Vignol, expliqua Edwin sans tenir compte de la remarque. Tiens, lis-le.

Il tendit à Ewilan un fin cylindre de papier qu'elle déroula avant de l'orienter vers la clarté des flammes pour en déchiffrer le contenu. L'expéditeur n'avait pu écrire que quatre mots sur la missive apportée par le chuchoteur :

« Connais identité traître. Venez. »

– Bruno Vignol sait qui est le suppôt d'Éléa Ril' Morienval à Al-Jeit, reprit Edwin.

– Pourquoi n'a-t-il pas indiqué son nom ? tiqua Ewilan.

– Sans doute l'ignore-t-il, s'immisça maître Duom. Il peut détenir suffisamment d'indices pour identifier le traître sans pour autant savoir comment il s'appelle. Un chuchoteur est malheureusement incapable de transporter un long message et Bruno Vignol n'a pas pu s'étendre.

– Vous souhaitez que je me rende dans l'autre monde ?

– Pas si vite ! intervint Edwin. Le renseignement que détient Bruno Vignol a beau receler une importance capitale pour l'Empire et pour ta propre sécurité, tu ne dois pas courir le moindre risque. Peux-tu effectuer le Grand Pas malgré cette menace dans les Spires ?

Ewilan prit le temps de réfléchir.

– Je crois que oui. Le pouvoir de la méduse reste concentré sur la frontière entre l'Imagination et la réalité. Je peux me glisser dans les Spires, je l'ai fait deux fois hier. En revanche…

– Oui ?

– Cela risque d'être long et je ne suis pas certaine d'arriver là où je le souhaite.

– Que veux-tu dire ?

– De nombreux possibles me sont interdits et tant que je n'aurai pas tenté un pas sur le côté, je ne saurai pas si celui qui me conduit chez Bruno Vignol est disponible ou pas.

– Et s'il ne l'est pas ?

– Je peux rester ici comme me retrouver à mille kilomètres. Ou à mille mondes.

– Dans ce cas, oublions Bruno Vignol. Il nous fera passer ses informations mot par mot s'il le faut mais toi, tu ne bouges pas.

– Ce serait dommage de ne pas profiter de cette opportunité, commenta maître Duom. Si Ewilan se matérialise ailleurs qu'à l'endroit prévu, qu'est-ce qui l'empêche d'effectuer un nouveau pas sur le côté et de retenter sa chance ? Ou, au pire, de revenir ici ?

– Les dangers imprévisibles qu'elle peut rencontrer, rétorqua Edwin. L'imagines-tu arrivant au milieu d'une horde de Raïs ou, plus simplement, devant un tigre des prairies ? Non, ce serait inconsidéré. À moins que... Ewilan, es-tu toujours capable d'emmener quelqu'un avec toi ?

– Je crois, oui, mais cela ne résout pas mon problème de destination.

– Cela assure ta sécurité. Duom, tu prends la tête de l'expédition, je pars avec Ewilan.

– Attends, intervint Ellana. Pourquoi toi ? Je suis capable de veiller sur elle.

Edwin contempla longuement la marchombre.

– Je n'en doute pas, admit-il avec un sourire carnassier, mais Bruno Vignol nous révélera peut-être l'endroit où réside notre inconnu, auquel cas je solliciterai d'Ewilan un autre pas sur le côté...

Il n'en dit pas davantage, ses compagnons avaient compris. Si Edwin découvrait l'identité du traître, celui-ci avait du mauvais sang à se faire.

La dernière chose qu'Ewilan emporta fut le regard anxieux que Salim posait sur elle, puis elle se concentra et plus rien n'exista que les Spires et la méduse.

Et dire que quelques semaines plus tôt, dessiner était pour elle un acte aussi naturel que marcher ou respirer... Tout avait changé. La moindre création nécessitait une agilité mentale et un pouvoir hors du commun.

Elle se glissa dans l'Imagination par une des brèches qu'elle avait repérées, évita souplement un tentacule qui se tendait vers elle, se contorsionna pour passer sous un autre, puis fonça pour gagner un endroit plus tranquille. Elle avait conscience de tenir la main d'Edwin mais, contrairement à elle, il n'était pas engagé dans l'Imagination. Il n'y basculerait que lorsqu'elle achèverait son pas sur le côté. Achever son pas sur le côté...

Elle y parvint au moment même où elle se demandait si cela lui serait possible.

Elle ouvrit les yeux. Elle se trouvait dans l'appartement de Saint-Cloud, Edwin à ses côtés. C'était la nuit dans l'autre monde également mais Bruno Vignol était parfaitement réveillé. Lorsqu'il les vit, il s'approcha avec vivacité.

– Je suis content que vous ayez réagi si vite, dit-il après les salutations d'usage. Je crains toujours que cette Éléa Ril' Morienval ne revienne semer le trouble ici et tant que vous ne l'aurez pas mise hors d'état de nuire, je serai inquiet.

Edwin hocha la tête avant d'aller droit au but.
– Vous connaissez l'identité de celui qui l'aide dans notre monde.
– Un des chercheurs de l'Institution a été retrouvé hier.
– Je croyais que vous les aviez tous capturés...
– Il nous en manquait un. Un hurluberlu qui n'a jamais dû comprendre pour qui et pourquoi il travaillait. Nous avons eu du mal à le localiser parce qu'il faisait partie de ceux qu'Ewilan avait expédiés dans les Causses du côté d'Ombre Blanche. Contrairement à ses collègues, il s'y est plu, a décidé de s'y installer et...
– Venons-en au fait, le coupa Edwin.
– Le chercheur en question a coopéré volontiers. Il s'est souvenu d'un individu qui est passé à l'Institution en compagnie d'Éléa Ril' Morienval. Ils ont échangé quelques mots. Le traître que vous recherchez est un des professeurs de l'Académie d'Al-Jeit.
– Vous êtes certain de ce que vous avancez ? le pressa Edwin.
– Absolument certain.
Ewilan comprit juste avant le maître d'armes quel nouveau problème se posait à eux.
– N'avez-vous pas d'autres indications à nous fournir ? demanda-t-elle. Il y a plusieurs dizaines de professeurs à l'Académie...
– Non, je suis désolé. Le chercheur qui nous a livré ce renseignement n'a parlé à votre homme que brièvement.
Il y eut un silence pesant que Bruno Vignol rompit avec hésitation.

– En fait, il a bien remarqué un détail mais je doute qu'il vous soit utile…

– Dites toujours, fit Edwin soudain très attentif.

– L'individu que vous recherchez a un tic. Il se frotte continuellement les mains.

22

Une fois le parasite n'ralaï inoculé, l'espérance de vie de l'hôte varie de six heures pour les insectes à six mois pour les mammifères. Jamais davantage.

Maître Beñat, *Le N'ralaï*

La porte n'était pas fermée.

Ewilan soupira de soulagement en sentant la poignée céder sous sa main et l'huis s'entrebâiller. Elle aurait été incapable de dessiner une ouverture discrète et le recours à la force aurait sans aucun doute réveillé maître Elis.

Elle avait réussi sans difficulté son pas sur le côté vers Al-Jeit, se matérialisant directement dans l'enceinte de l'Académie grâce à son excellente connaissance des lieux. Trouver la résidence d'Elis Mil' Truf avait été l'affaire de quelques minutes. Les professeurs célibataires logeaient dans une aile à l'écart, derrière le parc, et Ewilan savait avec précision où orienter ses recherches.

Sur la pointe des pieds, elle se glissa dans la demeure. L'obscurité était tenue en respect par la lueur blafarde de globes lumineux en veilleuse placés au plafond et elle se repéra aisément. Une immense pièce à vivre dont un pan de mur entier était une baie vitrée à moitié occultée par de lourds rideaux de soie, une complexe sculpture mathématique en acier qui scintillait dans la pénombre, des fauteuils de cuir organisés autour d'une cheminée en acier elle aussi, des livres partout, sur la table, sur les rayonnages des bibliothèques, sur le sol, en piles instables ou étalés et ouverts. La demeure d'un érudit solitaire.

Une porte dans un angle de la pièce s'ouvrit avant qu'Ewilan, occupée à observer une immense carte murale, ait remarqué son existence. Au bruit qu'elle fit en pivotant sur ses gonds, Ewilan sursauta, cherchant fébrilement une cachette des yeux.

Trop tard.

La lumière diffusée par les globes s'accrut brusquement, rendant futile l'espoir de se dissimuler dans l'ombre. Maître Elis se tenait sur le seuil, enveloppé dans un peignoir chamarré, les yeux ensommeillés, contemplant avec stupeur sa visiteuse nocturne.

– Ewilan ? Que faites-vous chez moi ?

Dans le plan conçu avec Edwin, l'effet de surprise jouait en leur faveur. C'était raté mais elle pouvait encore reprendre l'avantage. Ewilan redressa la tête avec fierté, presque arrogance.

– Je suis venue vous simplifier la tâche.

Maître Elis se frotta les yeux comme s'il doutait de la réalité de la scène à laquelle il assistait.

– Me simplifier la tâche ? De quoi parlez-vous ?

– Vous tenez tant à me voir morte. Je vous offre l'occasion de me tuer. Vous devez bien posséder une arme, non ?

– Vous délirez, Ewilan. Sortez de cette maison, je vous prie !

– Vous souhaitez vraiment que je parte ? Ne craignez-vous pas qu'elle vous reproche d'avoir laissé passer une telle opportunité ?

– Elle ?

– Éléa Ril' Morienval ! Une de vos amies, non ?

Pendant une folle seconde, maître Elis envisagea de s'enfuir. La fenêtre, un pas sur le côté... Il pouvait disparaître. Le regard d'Ewilan, glacial, le retint aussi solidement qu'une chaîne d'acier. Il comprit qu'il était inutile de feindre. Après presque vingt ans de dissimulation, l'heure de vérité avait enfin sonné. Le fardeau écrasant ses épaules se volatilisa, ses traits se durcirent et, lorsqu'il prit la parole, ce fut d'un ton accusateur. Agressif.

– Pourquoi la haïssez-vous ?

La question prit Ewilan au dépourvu. Une vague de souvenirs déferla sur son esprit alors qu'elle cherchait vainement une réponse. Violence, trahison, douleur, mort. Le sillage d'Éléa Ril' Morienval n'était que ruines, malheurs, et cet homme... cet homme insinuait que...

– Alors ? Répondez, vous qui êtes si maligne ! Pourquoi la haïssez-vous ?

– Vous me demandez pourquoi je hais une femme qui m'a enlevée et torturée ? Pourquoi je hais une femme qui a broyé un homme-lige noble et courageux, trahi mes parents, ses amis, son pays ? Une femme qui a pactisé avec les êtres les plus maléfiques de la création ? Une femme qui détruit tout ce qu'elle approche, souille tout ce qu'elle touche ? Une femme qui n'est habitée par aucun sentiment humain ?

– Taisez-vous !

Maître Elis avait hurlé, le visage déformé par la rage.

– Taisez-vous! Vous ne savez pas de quoi vous parlez. Éléa a été trahie, détruite! Elle, et non vous ou les vôtres. Sa vie a été broyée, souillée! La sienne, et non celle des êtres sans envergure qui de tout temps l'ont jalousée. Moi seul l'ai comprise. Moi seul ai accès à la beauté de son âme et à la grandeur de ses sentiments!

Ewilan avait cru que maître Elis s'effondrerait sous ses accusations ou tenterait de s'enfuir, ce qui aurait signé sa culpabilité. Edwin n'aurait plus eu alors qu'à se saisir de lui. Rien ne l'avait préparée à cette plaidoirie passionnée, à cette défense irraisonnée et dévastatrice. Elle ouvrit la bouche pour répondre mais le professeur tendit vers elle un doigt accusateur.

– Qui êtes-vous pour porter un jugement sur une femme plus forte et plus belle que vous ne le serez jamais? Pour ignorer les tourments qu'elle a endurés et vous focaliser sur vos contrariétés passagères, mesquines et futiles?

La tirade frappa Ewilan comme un coup de poing au creux de l'estomac.

– Vous avez dessiné pour moi une rose de cristal, murmura-t-elle d'une voix vacillante, un chef-d'œuvre de pureté et d'harmonie. Comment pouvez-vous la soutenir dans ses méfaits? Comment pouvez-vous cautionner ceci?

Elle souleva sa tunique afin de dénuder son ventre. La cicatrice qu'elle avait vue se boursoufler de jour en jour apparut en pleine lumière, trait de feu zigzaguant sur son abdomen, traînée maléfique en effrayante expansion.

Promesse de souffrances à venir qu'elle refusait encore d'envisager.

Angoisse terrifiante qu'enfin elle assumait.

Maître Elis ne lui jeta qu'un regard dédaigneux.

– Vous ne comprenez rien! cracha-t-il. J'aime Éléa. D'un amour si fort que ses actes ne revêtent aucune importance. Je lui ai offert mon corps, mon cœur et mon âme. Nos vies sont liées pour l'éternité. Si elle a décidé de vous tuer, c'est que vous méritez la mort!

Il écarta les bras comme pour donner plus de force à ses paroles et, soudain, se jeta dans l'Imagination. Ewilan s'y attendait. Elle pressentait que, poussé dans ses retranchements, il utiliserait les Spires pour s'en prendre à elle.

Il n'avait aucune chance. La méduse l'empêcherait de dessiner.

Elle se glissa toutefois à sa suite vers l'Imagination. Ce qu'elle y découvrit la glaça. Le hideux barrage noir grouillant de tentacules s'écartait, créant une porte dans laquelle maître Elis s'engouffra, tandis qu'un fouet sombre et gluant se déployait vers Ewilan qui n'eut que le temps de retirer son esprit.

Elle ouvrit les yeux. Déjà le dessin de maître Elis basculait dans la réalité. Une sphère de métal brillant, hérissée de pointes barbelées, traversa la pièce en vrombissant.

Droit sur elle.

Ewilan lança un hurlement silencieux. Tout cela était tellement stupide...

Un bras gainé de cuir s'interposa au moment où une des pointes allait s'enfoncer dans son cœur. Une main puissante se referma sur l'acier, stoppant net la course meurtrière de la sphère.

Edwin.

Le sabre du maître d'armes chanta en quittant son fourreau, étincela en prenant son envol.

Tournoya.

Maître Elis tendit à nouveau sa volonté vers l'Imagination en poussant un cri de rage qui s'acheva en un gargouillement écœurant. Le sabre d'Edwin venait de se ficher jusqu'à la garde dans son ventre. Il le contempla un instant, stupéfait, alors que son peignoir s'imbibait de sang.

– Soyez maudits, balbutia-t-il en tombant à genoux. Barbares ignorants et stupides.

Une écume rosée apparut au coin de sa bouche tandis qu'une flaque écarlate s'élargissait sous lui. Son regard devint vitreux. Les mains serrées sur la poignée du sabre, il bascula sur le côté.

– Tu me manques déjà... murmura-t-il.

Un souffle.

Le dernier.

23

Il n'existe aucun moyen de sauver un hôte lorsqu'il a été infesté.
Maître Beñat, *Le N'ralaï*

Edwin dégagea son sabre sans accorder le moindre regard au corps de maître Elis. Il essuya soigneusement sa lame, puis la rengaina avant de s'approcher d'Ewilan qui n'avait pas bougé.

– Montre-moi ton ventre, lui demanda-t-il d'une voix douce et ferme à la fois.

– Je...

– Montre.

Comme elle hésitait, il s'agenouilla et souleva sa tunique. Il contempla en silence la balafre qui s'étirait sur l'abdomen de la jeune fille, suivit délicatement du bout des doigts sa ligne tourmentée et se releva, les mâchoires serrées.

– De quand date cette blessure?

– De l'Institution.

– À qui l'as-tu montrée?

– À personne. Au début, elle se voyait à peine puis elle a grossi, elle...

La voix d'Ewilan se brisa.

– Cela ressemble à un cauchemar. Chaque jour, j'ai un peu plus mal et chaque jour je me persuade que si je n'y prête pas attention, tout rentrera dans l'ordre. C'est plus fort que moi. Admettre la réalité de cette douleur c'est... c'est retourner là-bas... dans le laboratoire de l'Institution... avec elle.

– Éléa Ril' Morienval ?

Ewilan hocha la tête.

Comme si le simple fait d'en parler libérait le mal qui la rongeait, une pointe de souffrance jaillit de son ventre pour se vriller dans ses épaules. Elle laissa échapper un gémissement tandis que des larmes ruisselaient sur son visage.

Edwin lui saisit le bras et l'entraîna à l'extérieur.

– Nous allons nous en occuper, affirma-t-il avec force. Tout va s'arranger.

Au milieu de ses livres éparpillés, tachés de sang, maître Elis fixait l'infini, les traits figés par la mort dans un rictus dubitatif.

Le maître d'armes prit à peine le temps d'expliquer les événements à l'Empereur. Il le laissa régler seul les problèmes créés par la trahison de maître Elis et se mit en quête de quelqu'un capable de secourir Ewilan. Il fut vite évident qu'aucun rêveur ne se trouvait à l'Académie, au palais ou même à Al-Jeit et Edwin eut beau tempêter, les médecins qui examinèrent Ewilan se montrèrent incapables de prononcer le moindre diagnostic.

Le jour se levait lorsque Edwin revint vers elle, les lèvres serrées, les sourcils froncés.

– Un rêveur doit soigner cette blessure. Il faut donc que tu effectues un pas sur le côté. Vers Ondiane ou vers les montagnes de l'Est pour rejoindre Artis Valpierre. Sans attendre.

Ewilan acquiesça en silence. Elle avait besoin de toute sa volonté pour contenir la douleur qui pulsait désormais à travers son corps entier, lui donnant l'impression de n'être plus qu'une plaie à vif.

– Ondiane ou Valpierre ? insista Edwin.

– La méduse se trouve toujours dans les Spires, répondit Ewilan. Il est plus prudent que je vise les montagnes de l'Est puisque je sais que le pas dans cette direction est possible.

– Très bien. Alors allons-y.

Ewilan n'était pas certaine de pouvoir dessiner mais Edwin lui insufflait une telle énergie qu'elle se leva et prit la main qu'il lui tendait. Elle ferma les yeux et se glissa dans l'Imagination.

Ils disparurent.

Elle prit conscience que quelque chose d'imprévu survenait lorsque Edwin la lâcha pour tirer son sabre. Ils étaient pourtant arrivés au bon endroit, leurs compagnons étaient assis autour du feu, les légionnaires montaient la garde tout près d'eux.

Tout près d'eux ?

Une main gantée de vargelite s'abattit sur l'épaule de la jeune fille, l'attirant en arrière tandis qu'une voix sans âme s'élevait dans leur dos.

– Laissez tomber votre arme, commandant !

Edwin pivota lentement. Un légionnaire retenait Ewilan, la lame d'un poignard plaquée contre sa gorge. Un deuxième menaçait Illian de la même manière tandis que six autres surveillaient attentivement les prisonniers assis par terre.

– Ces rejetons de Ts'liches moisis sont des traîtres ! vitupéra maître Duom. Que leurs entrailles maudites pourrissent au...

Un coup de pied le cueillit dans le flanc et l'envoya rouler deux mètres plus loin. L'analyste poussa un grognement de douleur et se rassit en maugréant, les bras pressés contre ses côtes.

– Laissez tomber votre arme, commandant ! Ou j'égorge la fille !

Edwin ficha ses yeux dans ceux du légionnaire qui menaçait Ewilan.

– Arrête ce jeu stupide, Olgin, ordonna-t-il d'une voix assurée.

– Un...

– Olgin ! Tu peux encore te ressaisir.

– Deux...

Edwin ouvrit les doigts. Son sabre roula à terre.

– Maintenant, allez vous asseoir avec les autres.

– Où sont Philian et Asmaric ? demanda le maître d'armes en obtempérant avec lenteur.

– Morts. Ils n'avaient pas choisi la même allégeance que nous.

– Elis Mil' Truif ?

– Oui, commandant.

Alors qu'il s'asseyait, Edwin s'assura en silence de l'état de ses compagnons. À une multitude d'indices, il devinait la tension dans les épaules d'Ellana, Chiam et Erylis. Tous trois étaient désarmés mais à l'affût de la moindre occasion. Que les traîtres relâchent un instant leur attention et ils bondiraient sur eux.

Ce n'était peut-être pas la meilleure solution. Edwin savait à quel point les soldats de la Légion noire étaient de redoutables combattants et il croisa les doigts pour que ses amis ne commettent pas l'erreur de les sous-estimer.

Artis en revanche était hébété, comme écrasé par la situation. Il était inutile de compter sur lui ou sur maître Duom, trop âgé pour être d'une quelconque utilité dans un affrontement.

Salim gardait les yeux fixés sur Olgin et si la haine avait été une arme, le légionnaire aurait certainement péri dans de terribles souffrances. Les muscles du garçon étaient contractés, ses poings serrés... Il fallait d'urgence désamorcer la bombe que constituait sa colère.

– Je suis assis, Olgin. Pourquoi ne pas laisser Ewilan nous rejoindre ?

– Parce que mes instructions sont de la tuer, commandant. Elle et le petit.

Le bond de Salim fut arrêté net par la poigne de fer d'Edwin. D'une pression irrésistible, le maître d'armes l'obligea à se rasseoir sans détourner son attention d'Olgin.

– Pourquoi eux ?

– Je n'en sais rien, commandant. J'attends une confirmation mais ne vous inquiétez pas, mes ordres concernent uniquement la fille et le petit. Vous ne courez aucun risque.

Le gémissement terrifié d'Illian fut coupé par une claque violente assenée par l'homme qui le gardait. La voix d'Erylis s'éleva, tranchante comme la lame d'un rasoir.

– Frappe encore une fois cet enfant et tu es mort.

Chiam jeta un bref coup d'œil à son arc, hors de portée, et interpella sa compagne en faël. Elle lui répondit dans la même langue jusqu'à ce qu'Olgin leur ordonne de se taire.

Salim avait réussi à détourner son regard d'Ewilan. Il se força à respirer profondément afin que les battements de son cœur se calment. Il fit jouer doucement ses muscles, conscient que lorsque le moment serait venu de passer à l'action, il lui faudrait être précis et rapide. Chevaucher le vent.

Il caressait le gant d'Ambarinal lorsque la voix s'éleva dans sa tête :

– *Je te préfère ainsi, jeune loup ! Voilà ce que nous allons faire...*

24

Une Faëlle a survécu trois semaines à son compagnon. C'est
le temps qu'il lui a fallu pour exterminer les responsables de sa
disparition. Ensuite, elle est morte.
  Maître Carboist, Mémoires du septième cercle

– *M*ais c'est impossible ! Ils m'ont vu l'utiliser,
vous ne croyez quand même pas qu'ils...
– Du calme, jeune loup. Le gant d'Ambarinal sait se
faire oublier. C'est une de ses particularités et non la
moindre. Seul son possesseur et de rares êtres d'exception se rappellent son existence plus de quelques heures.
Les légionnaires ne sont pas du nombre.
– Vous en êtes sûre ?
– Certaine. Pourquoi crois-tu que les Faëls ou Ewilan
ne t'en ont jamais reparlé ?
– D'accord... J'y vais.
Salim expira longuement. Ellana lui avait appris à
manier un arc mais il n'était qu'un novice. Si, au fil
des semaines, ses tirs avaient acquis de la précision,
il était loin de posséder la dextérité de la marchombre
sans parler de celle de Chiam ou d'Erylis.

Il fallait jouer en finesse. Les surprendre.

Il se leva sans se presser, s'attirant un regard étonné d'Ellana et d'Edwin qui ne tentèrent toutefois pas d'intervenir. Il ouvrit les bras comme s'il s'étirait après un bon somme.

– Assis ! aboya Olgin.

Le visage ! Il devait atteindre le visage. Le corps du légionnaire était protégé par l'armure de vargelite. Sa flèche ne la percerait pas.

Le visage.

Un tir facile. Moins de cinq mètres.

Cinq mètres.

Sauf qu'Ewilan était proche de sa cible.

Si proche...

Salim pivota pour se placer dans l'axe.

– Assis, j'ai dit !

Inspirer profondément. Amener l'empennage invisible jusqu'à sa joue.

– Assis !

Expirer. En douceur. Ouvrir les doigts. Rester calme. Immobile.

Jusqu'au bout.

La flèche noire jaillit du néant. Mortelle. Elle frappa Olgin en plein milieu du front, le projetant violemment en arrière.

Ellana passa à l'attaque alors que le soldat s'effondrait deux mètres plus loin. Elle avait suivi chacun des gestes de Salim, comprenant parfaitement ce qu'il envisageait et l'approuvant malgré son inquiétude. Elle était prête.

Le légionnaire qui tenait Illian était un professionnel. Son premier réflexe fut d'achever sa mission. Il raffermit sa prise sur les cheveux du petit garçon, leva son poignard...

Ellana était déjà sur lui. Son pied fusa, le faucha au niveau des genoux. Il s'écroula. Avant qu'il ait pu se relever, la marchombre lui avait arraché Illian et, d'un bond, l'avait mis hors d'atteinte.

Edwin, Chiam et Erylis étaient debout. Le maître d'armes avança à la rencontre des hommes qui se précipitaient sur eux. Le premier légionnaire hésita en se retrouvant face à son commandant, abattit son sabre une seconde trop tard. Ce doute lui fut fatal. La main d'Edwin se referma sur son poignet, l'entraîna dans un irrésistible mouvement tournant, puis le coude du maître d'armes, aussi dévastateur qu'un marteau de fonte, percuta sa mâchoire. Le sang jaillit. Quelques dents.

Une clef impitoyable au bras qui tenait le sabre.

Un craquement sec. Définitif.

Edwin repoussa du pied le légionnaire qui titubait, lui arracha son arme et para in extremis l'attaque du suivant. Les lames d'acier s'entrechoquèrent avec violence.

Ellana était aux prises avec le soldat qui avait tenté de tuer Illian. Elle évitait souplement chacun de ses coups de taille mais ne parvenait pas à prendre le dessus, contenue dans une attitude strictement défensive par l'habileté de son adversaire.

Chiam et Erylis avaient bondi chacun dans une direction, le Faël se précipitant au contact des légionnaires tandis que sa compagne plongeait vers son arc posé dans l'herbe près d'un chariot. Elle effectua un prodigieux vol plané, roula en touchant le sol, faucha l'arc et le carquois à ses côtés, se releva dans le même mouvement, pivota...

Trois flèches fusèrent.

Invisibles.

Parfaitement ajustées.

Toutes trois se fichèrent dans la nuque du légionnaire qui s'apprêtait à achever Chiam après l'avoir blessé à l'épaule. Erylis tendait déjà sa corde pour un nouveau tir.

– Attention! vociféra maître Duom.

La Faëlle se retourna. La lame d'un sabre brilla sinistrement dans la lumière du petit matin. Siffla en s'abattant.

Erylis s'affaissa, lâchant son arc pour porter les mains à son ventre d'où jaillissait un flot écarlate.

Chiam Vite poussa un hurlement et se précipita vers elle. Il percuta le légionnaire au moment où le sabre redescendait afin d'achever son œuvre de mort. L'homme et le Faël roulèrent à terre.

Salim avait rejoint Ellana. Il avait d'abord songé à utiliser le gant d'Ambarinal mais le combat était trop confus pour qu'il se hasarde à tirer. Il avait donc bondi au secours de la marchombre qui peinait à résister aux assauts de son adversaire. Ensemble, le professeur et son élève réussirent à inquiéter suffisamment le légionnaire pour limiter ses attaques puis, lentement, ils prirent le dessus, l'obligeant à reculer pour finalement l'acculer contre un chariot. L'un et l'autre rivalisaient de fougue et d'audace, frappant du poing et du pied tout en restant aussi insaisissables que des feux follets.

De son côté, Edwin contenait seul les quatre légionnaires restants. Il avait éliminé le cinquième dès les premiers instants de leur affrontement d'un imparable revers qui lui avait ouvert la gorge et les autres, réalisant que leur unique chance de l'emporter résidait dans leur cohésion, attaquaient sans relâche.

Edwin prenait des risques inouïs, combattant avec une telle adresse que les légionnaires durent plusieurs fois reculer. Peu à peu toutefois, le maître d'armes faiblissait. Il rompit d'un pas et jeta un coup d'œil à ses compagnons, en quête d'un improbable soutien.

Maître Duom assistait, impuissant, au déroulement de la bataille.

Ellana et Salim se mesuraient bravement à un légionnaire mais sans armes, ils risquaient à tout instant de recevoir un coup fatal.

Ewilan s'était effondrée dans l'herbe, livide, et se tenait prostrée, les bras repliés sur le ventre, tandis qu'Illian, apeuré, tentait vainement de la réconforter.

Edwin donna un violent coup de pied fouetté qui projeta au sol un de ses adversaires, son coude percuta l'arcade sourcilière d'un deuxième tandis que l'extrémité de sa lame ouvrait une blessure impressionnante mais peu profonde sur la joue d'un troisième. Cet exploit lui offrit une seconde de répit qu'il mit à profit pour chercher les Faëls et Artis des yeux. Ce qu'il découvrit le fit frémir.

Chiam avait tué un légionnaire, sans doute en l'étranglant puis en lui martelant le crâne contre un rocher. Il était assis, le corps d'Erylis sur les genoux, le visage enfoui dans la chevelure blanche de sa compagne. La tunique de la Faëlle était imbibée d'écarlate mais, plus que le sang, ce fut l'attitude d'Artis Valpierre qui convainquit Edwin que le pire s'était produit.

Le rêveur se tenait immobile, les bras écartés en signe d'impuissance, les traits empreints d'une profonde désolation qui ne pouvait avoir qu'une signification.

Pour la première fois de sa vie, l'idée que tout était perdu envahit le maître d'armes. Il para in extremis un coup de taille qui l'aurait décapité, riposta sans véritable conviction, fit un pas en arrière. Les quatre légionnaires qui l'assaillaient intensifièrent leurs assauts. Edwin commença à fléchir.

Une brise tiède et totalement incongrue se leva alors. Une écharpe de brume surgit du néant et se déroula à une vitesse stupéfiante. Les légionnaires qui attaquaient Edwin disparurent dans le brouillard alors que, une dizaine de mètres plus loin, le soleil matinal éclairait vivement la scène. Il y eut un long chuintement feutré puis le bruit sourd de corps s'effondrant.

La brume s'évanouit avec la même soudaineté qu'elle avait surgi.

Deux légionnaires gisaient sur le sol, morts. Égorgés.

Près d'eux, une vieille femme vêtue de cuir glissa nonchalamment un poignard dans sa ceinture.

Edwin devait sa réputation de guerrier absolu à sa science des armes mais également à la rapidité avec laquelle il prenait des décisions en cas de danger. Son sabre étincela alors que les soldats survivants contemplaient encore la scène avec stupeur. Le premier périt sans réaliser ce qui lui arrivait, le second ne dut qu'à un prodigieux réflexe de ne pas subir un sort identique. Son arme contra celle d'Edwin juste avant qu'elle ne lui tranche le cou. Le combat reprit. Un combat violent, sauvage. Mortel.

Un combat dont l'issue ne faisait aucun doute puisque nul légionnaire ne pouvait espérer l'emporter contre Edwin.

En quelques passes éblouissantes de virtuosité, celui-ci prit l'avantage. Son sabre traça une longue ligne sanglante sur la main de son adversaire qui lâcha son arme, recula d'un pas. Voulut fuir.

Trop tard.

L'acier d'Edwin trouva le défaut de l'armure de vargelite et s'enfonça jusqu'à la garde dans le flanc du légionnaire qui s'écroula, mort avant d'avoir touché terre.

Ellundril Chariakin approuva d'un hochement de tête.

25

Ce qui nous reste à comprendre, c'est ce qui se passe après.
Maître Carboist, *Mémoires du septième cercle*

Le fracas de la bataille avait été remplacé par le bruissement du vent dans les feuillages des arbres proches. Le combat qui opposait le dernier des légionnaires à Salim et Ellana s'était suspendu comme par magie lorsque le bruit des sabres s'entrechoquant s'était tu.

Le soldat à l'armure de vargelite contemplait avec stupéfaction les corps de ses camarades étendus aux pieds de la vieille femme. Elle était si frêle et semblait si inoffensive... Comment avait-elle pu éliminer deux des plus redoutables combattants de l'Empire ?

Ellana profita de l'incroyable avantage que venait de leur octroyer l'intervention d'Ellundril Chariakin. Elle bondit en avant mais le légionnaire fut plus prompt qu'elle. Il tourna les talons et courut jusqu'à un cheval qu'il enfourcha à la hâte. Il le talonna avec violence et s'enfuit au triple galop. La marchombre voulut se lancer à sa poursuite, un cri d'Edwin la retint :

– Non ! Attends !

Chiam Vite s'était levé, le visage ruisselant de larmes. Il saisit avec respect l'arc d'Erylis, choisit avec soin une flèche à l'empennage sombre et, lentement, banda son arme. Il y avait tant de souffrance et de concentration dans son geste que ses compagnons, souffle suspendu, restèrent pétrifiés. Le Faël amena la corde contre sa joue. Continua à la tendre jusqu'à ce qu'elle atteigne son épaule.

L'arc n'était plus qu'une improbable courbure porteuse d'une tension dépassant de loin celle du bois malmené, une ligne de force puisant sa réalité dans un cœur déchiré. Chiam pointa sa flèche vers les nuages.

Le légionnaire, couché sur l'encolure de sa monture, galopait à bride abattue.

Chiam ouvrit les doigts.

La flèche partit vers le ciel avec une extraordinaire vélocité. Elle décrivit une parabole vertigineuse avant de s'évanouir, happée par la distance. Les secondes s'égrenèrent puis le fuyard, minuscule forme dans le lointain, tituba. Il écarta les bras et bascula de sa selle, comme frappé par la foudre.

Les compagnons détournèrent le regard. Sans la voir, chacun d'eux avait conscience de la longue hampe noire fichée dans la nuque du dernier légionnaire.

Telle une malédiction.

Ewilan s'était relevée. Les traits marqués par la douleur, s'appuyant sur l'épaule d'Illian, elle rejoignit ses amis groupés autour de Chiam Vite. Le Faël avait repris Erylis dans ses bras et la berçait doucement contre son cœur en lui murmurant à l'oreille une mélopée qu'elle n'entendrait plus jamais. Malgré sa tunique imbibée de sang et ses paupières closes, elle paraissait vivante, l'ombre d'un sourire étonné planant encore sur ses lèvres, sa chevelure blanche cascadant autour de son visage parfait.

Des larmes qu'Ewilan ne chercha pas à retenir roulèrent sur ses joues, à l'image de celles qui embuaient les yeux des autres témoins du désespoir de Chiam. Le regard du Faël semblait déconnecté de la réalité, pourtant une flamme s'y alluma lorsqu'il se tourna vers ses compagnons. Edwin ouvrit la bouche, Chiam le fit taire d'un geste.

– Ne pas parler. Mon âme être morte aujourd'hui et il me rester juste assez de forces pour ramener Erylis chez nous. Je être incapable de supporter votre chagrin ou votre amitié puisque l'univers être vide désormais.

Ellana tendit la main vers lui. Il ne la prit pas.

– Laisser moi partir. Seul. Pour toujours. Cela être le seul geste que je pouvoir accepter.

À regret, la marchombre recula.

Erylis toujours serrée contre lui, Chiam se dirigea vers les chevaux. Il jeta un sac en travers du dos de Sinuïle, l'attacha sommairement puis se hissa sur sa propre monture. Erylis dans les bras, il s'éloigna.

Sans un regard en arrière.

Pendant un long moment, aucune phrase, aucun mot, ne furent échangés. Les compagnons étaient perdus dans les méandres de leur monde intérieur, leurs cœurs cognant au rythme de la douleur de Chiam, puis un sanglot rauque secoua les épaules d'Ewilan. Elle s'abattit dans les bras de Salim, lâchant la bride à sa peine, oubliant la souffrance qui irradiait désormais dans tout son corps. Oubliant sa peur.

Salim l'enlaça. Il chercha des mots de réconfort qu'il ne trouva pas, balbutia une phrase inaudible pour finalement se taire et mêler ses larmes à celles d'Ewilan.

Edwin se reprit le premier. Il essuya rageusement ses yeux et se baissa pour ramasser son sabre.

– Ellundril Chariakin ! s'exclama Ellana alors qu'il rengainait sa lame.

Tous se tournèrent dans la direction que fixait la marchombre.

Assise sur un rocher, la vieille femme qui les avait aidés les observait, le visage impénétrable. Edwin s'approcha d'elle.

– Ellundril, si tel est ton nom, je te remercie. Ton intervention nous a sauvés.

Un sourire juvénile fendit le visage ridé de la marchombre.

– C'est vrai, admit-elle avec un rire léger. Tu as beau savoir te débrouiller un sabre à la main, cela ne semblait pas suffire.

Puis ses traits redevinrent graves.

– Chevaucher la brume peut se révéler ardu, je regrette de n'être pas intervenue à temps.

Edwin hocha la tête. La vieille femme qui lui faisait face dégageait un magnétisme impressionnant. Presque écrasant.

Elle reprit :

– Et si on ne veut pas qu'une autre étoile meure, le rêveur devrait également intervenir...

Elle fixait Ewilan qui se sentit transpercée par son regard noir et acéré. Edwin, maudissant sa lenteur et son manque de réflexion, pivota vers Artis Valpierre.

– Artis, Ewilan est blessée à l'abdomen !

Salim sursauta, voulut se précipiter, déjà le rêveur, à genoux, soulevait la tunique d'Ewilan. Il grimaça en découvrant la cicatrice boursouflée.

– De quand date cette blessure ? demanda-t-il.

La jeune fille resta muette. La mort d'Erylis l'avait privée de ses dernières forces. Elle n'était plus que souffrance et utilisait toute sa volonté pour ne pas crier, ne pas tomber. Artis se concentra, posa doucement ses mains sur le ventre d'Ewilan.

Il sursauta comme s'il avait touché une flamme vive.

– Qu'y a-t-il ? s'affola Salim.

Artis, les yeux emplis de stupeur et d'angoisse, ne répondit pas.

– Qu'y a-t-il, bon sang ? insista Salim en lui saisissant l'épaule.

Le rêveur secoua la tête comme s'il refusait la réalité de ce qu'il avait découvert.

– Un n'ralaï ! balbutia-t-il enfin. Un parasite n'ralaï !

26

En nimurde, n'ralaï signifie mort.

Maître Beñat, *Le N'ralaï*

Artis Valpierre retrouva rapidement son professionnalisme. Il demanda à Ewilan de s'allonger et palpa avec délicatesse le renflement de sa cicatrice, suivant du doigt des lignes de force dont il était le seul à connaître l'existence. Conscient des extraordinaires compétences du rêveur, Salim se forçait à l'immobilité et au silence alors que tout son être le poussait à hurler son angoisse. Le rêve qu'Artis déroulait sur Ewilan s'éternisant, il se tourna vers maître Duom.

– Qu'est-ce qu'un n'ralaï? murmura-t-il, une fêlure dans la voix.

– Un parasite originaire de l'île des Nimurdes, au nord des royaumes Raïs. Il prend possession du corps des animaux qu'il pique et se nourrit de leurs forces vives.

Le vieil analyste avait parlé d'une voix mécanique, seule manière de masquer son anxiété.

– Des animaux ?

– Un n'ralaï ne peut s'introduire que dans un hôte de faible taille, le plus souvent un insecte ou un petit mammifère.

– Mais...

– Ewilan n'a pas été piquée par un n'ralaï. Cette blessure date de son séjour à l'Institution. Le parasite a été volontairement introduit dans son corps.

Salim étouffa un juron, serra les mâchoires, tandis que sa main se crispait sur le manche du coutelas qu'il avait récupéré. À cet instant précis, il aurait été capable d'égorger Éléa Ril' Morienval sans le moindre état d'âme. Il s'agenouilla près d'Ewilan, plongea ses yeux dans l'univers violet de celle qu'il aimait et attendit.

Longtemps.

– Rien ! Je ne peux rien faire !

La sentence d'Artis fit à Salim l'effet d'un coup de poignard.

– Comment ça, rien faire ? Tu es un rêveur ou un pauvre type, stupide et incapable ? Tu vas la soigner, tu m'entends ? Tout de suite !

Il avait hurlé, les poings serrés, prêt à passer sa rage sur le rêveur, à le frapper jusqu'à... Ellana posa une main sur son épaule, Edwin se prépara à intervenir mais ce fut Ewilan qui, en se levant, réussit à le calmer. Elle réajusta sa tunique et lui adressa un sourire las.

– Doucement, mon vieux, lui lança-t-elle. Ce pauvre Artis n'est pas responsable de ce qui m'arrive.

Puis elle se tourna vers ses amis.

– J'aimerais qu'on se remette en route. D'accord ?

Le souvenir d'un cours suivi à l'Académie martelait sa mémoire. Un cours peu ragoûtant sur la faune
alavirienne et ses dangers. Elle savait ce qu'était un
n'ralaï. Elle avait étudié les dégâts occasionnés par
le parasite et connaissait le caractère irrémédiable
de sa situation. Elle avait le choix. S'effondrer pour
attendre sa mort prochaine ou continuer à obéir à la
formidable impulsion qui la poussait en avant.

Non, c'était faux, elle n'avait pas le choix.

– Impossible de poursuivre notre expédition, intervint Edwin. Nous ne sommes plus assez nombreux
pour voyager en sécurité et tu as besoin de soins.
Nous repartons vers la Citadelle.

– Les Frontaliers ne peuvent rien pour moi, tu le
sais bien, répliqua Ewilan. Comme tu sais que si nous
faisons demi-tour, nous n'atteindrons pas les rives
de la mer des Brumes avant les tempêtes estivales.

– Écoute… se fâcha Edwin.

– Non ! Écoute, toi ! Depuis des semaines, une force
inexplicable m'entraîne vers l'est, une force à laquelle
rien ne peut résister. Tout est lié, la méduse, Éléa
Ril' Morienval, Valingaï, même ce parasite effrayant
qui me ronge de l'intérieur. Je le sais au plus profond de mon être. S'il subsiste un espoir pour moi
mais aussi pour Gwendalavir, c'est à l'est qu'il se
trouve. Je continue.

Elle se tenait droite devant eux, dégageant une aura
que la souffrance sublimait et qui fit fléchir les cer-
titudes du maître d'armes.

– Je… hésita-t-il.

– Moi, je vais avec toi et je te sauverai.

Illian venait de placer sa petite main dans celle
d'Ewilan.

– Je t'accompagne, dit simplement Ellana.

Salim se contenta d'un hochement de tête. Aucune puissance au monde ne l'empêcherait de suivre Ewilan.

– Je pourrai diminuer ta douleur en attendant.

Artis Valpierre ne précisa pas ce qu'Ewilan était en mesure d'attendre mais son choix était clair. Il continuait avec elle.

– Puisque vous avez pris votre décision, nous devrions nous mettre en chemin tant que le jour est jeune.

Tous les regards se tournèrent vers Ellundril Chariakin.

La vieille marchombre, qui était la seule à ne pas paraître soucieuse, indiquait du menton les sommets escarpés des montagnes de l'Est.

Edwin poussa un long soupir.

– En route, capitula-t-il.

27

N'ralaï pourrait également signifier mort en alavirien.
Maître Beñat, *Le N'ralaï*

Deux jours après leur départ, ils rencontrèrent les premières plaques de neige. La piste restait toutefois visible et ils conservèrent une allure soutenue jusqu'à ce qu'ils se retrouvent au cœur des montagnes et que les détails du relief disparaissent sous une épaisse couche de neiges éternelles. Là, ils durent ralentir car les chevaux peinaient dans la poudreuse et les chariots s'enfonçaient, ce qui obligeait les voyageurs à unir leurs efforts pour les dégager. Au premier problème de ce type, Ellundril Chariakin qui voyageait aux côtés de maître Duom n'avait pas hésité à les aider, avec une redoutable efficacité qui lui avait attiré des regards étonnés et admiratifs tandis qu'un sourire ravi naissait sur les lèvres d'Ellana. Le convoi était reparti à l'assaut des sommets.

Grâce aux soins continus d'Artis Valpierre et à sa formidable volonté, Ewilan réussissait à faire bonne figure. Elle pressentait pourtant que les mutations physiques qui s'opéraient en elle atteignaient leur phase ultime. Elle avait renoncé à chevaucher Aquarelle pour économiser ses forces et restait le plus souvent blottie dans le chariot que conduisait le rêveur. Salim ne s'éloignait pas d'elle, précédant le moindre de ses désirs, attendant qu'elle bascule dans de courts moments de torpeur fiévreuse pour s'abandonner à son chagrin et libérer ses larmes.

Ils dormaient ensemble dans une des tentes emportées en prévision de la traversée des montagnes. Ellana avait cédé sa place à Salim sans qu'Edwin, à qui rien n'échappait, n'émette la moindre réserve. Cette sollicitude avait achevé de convaincre Salim que la situation était désespérée.

Une nuit, alors qu'il laissait vagabonder ses pensées, convaincu qu'elle avait enfin trouvé le sommeil, la voix d'Ewilan s'éleva, douce et hésitante.

– Salim...

– Oui, ma vieille ?

– Tu ne seras pas trop triste, d'accord ?

Une boule d'angoisse se noua dans la gorge du garçon.

– Pas trop triste ?

– Oui. Quand...

Salim la fit taire en la bâillonnant de sa main.

– Quand nous aurons quitté ces montagnes ? reprit-il à sa place. Je serai même soulagé. Tu sais, moi, la neige...

Elle bascula dans ses bras et, pendant un long moment, ils restèrent ainsi. Enlacés. Silencieux. Immobiles.

Au matin du quatrième jour, ils passèrent un dernier col. Devant eux, la piste descendait en lacets jusqu'à une plaine vallonnée tandis qu'à l'extrême limite de leur champ de vision s'étendait une ligne bleue qu'ils identifièrent sans mal.

– La mer des Brumes! confirma Edwin.

Il fallut encore une journée de voyage pour que la neige disparaisse autour d'eux et qu'ils retrouvent une température clémente. Lors de leur première nuit hors des frontières de Gwendalavir, ils renoncèrent aux tentes et le lendemain soir, alors que le soleil glissait vers les sommets qu'ils avaient franchis, ils parvinrent sur les berges d'une large rivière qui étalait ses méandres entre des bosquets épars et de vastes étendues herbeuses.

– Il y a peu de fond et quasiment pas de courant, indiqua Edwin. Nous traverserons demain.

Aquarelle, qui suivait docilement le chariot depuis le combat contre les légionnaires, s'agita soudain. Elle renâcla, secoua la tête jusqu'à ce que son licou se détache et tombe à terre. Elle évita sans peine Ellana qui voulait l'attraper et trotta jusqu'à Ewilan.

La jeune fille se tenait devant la rivière. La force qui la maintenait debout, la certitude qui l'entraînait vers l'avant, était en train de disparaître, remplacée par une nouvelle conviction. Elle allait mourir, là, au bord de ce cours d'eau inconnu.

Elle ne verrait pas le matin.

Le monstre qui tissait sa toile dans son corps était plus fort qu'elle.

Aquarelle nicha sa tête dans le cou de sa maîtresse, souffla dans son oreille. Un souffle chaud. Un murmure. Un espoir.

Ewilan planta son regard violet dans les yeux noisette de sa jeune jument.

– Tu crois ? chuchota-t-elle.

Pour toute réponse, Aquarelle plia les genoux. Ewilan n'eut qu'à prendre appui sur son encolure pour se jucher sur son dos. La jument se releva.

– Que fais-tu ? s'inquiéta Salim.

Ewilan n'eut pas le temps de répondre. D'une formidable détente, Aquarelle s'était élancée. Droit vers le nord.

– Ewilan !

Dans un élan identique, Salim et Ellana bondirent sur leurs chevaux.

– Où allez-vous ? les interpella maître Duom. Vous ne...

Puis il découvrit Ewilan et Aquarelle, déjà loin. Il se tut, stupéfait.

– Qu'y a-t-il là-bas ? cria la marchombre en talonnant sa monture.

La réponse de l'analyste lui parvint alors que Murmure se ruait en avant.

– L'Œil d'Otolep !

Ellana connaissait les qualités de Murmure, elle savait qu'il était plus rapide qu'Aquarelle. Et elle était meilleure cavalière qu'Ewilan. Elle distança rapidement Salim et Éclat de Soie mais, à sa grande surprise, ne parvint pas à gagner de terrain sur les fugitifs. Au contraire.

Aquarelle volait littéralement au-dessus de la plaine, Ewilan cramponnée à sa crinière comme à une ultime ligne de vie. La jument franchissait d'un bond des obstacles qui auraient fait hésiter le plus puissant des destriers, fonçait vers le nord comme un ouragan sans donner le moindre signe d'essoufflement.

La poursuite dura presque une heure. Murmure haletait, refusant de céder à l'épuisement, les flancs couverts d'écume, pourtant son allure faiblissait inexorablement.

Alors qu'Ellana s'apprêtait à renoncer, le paysage commença à se modifier. Des blocs de roche claire apparurent çà et là, de plus en plus hauts, de plus en plus nombreux. La végétation devint rase, l'herbe disparut peu à peu pour laisser la place à un sol de pierre grêlé de trous minuscules.

Puis l'Œil d'Otolep apparut.

C'était une immensité liquide d'un bleu inouï, parfaitement étale. Un monde aquatique cerné de rochers blancs surplombant sa surface de plusieurs dizaines de mètres et de plages de pierre qui glissaient sans un remous dans ses profondeurs. Aucune trace de vie sur ses berges ou en son cœur.

De la pierre et de l'eau.

Du blanc et du bleu.

Au-delà de l'envisageable.

L'Œil d'Otolep dégageait une extraordinaire impression de sérénité et de puissance. Une énergie rayonnante qui écrasait l'observateur, le ravalant au rang d'insecte face à des forces telluriques titanesques. Malgré elle, Ellana tira sur les rênes de Murmure. Elle frissonna, incapable de fixer l'Œil, consciente de son insignifiance.

Cent mètres devant, Aquarelle accéléra encore.

Elle parcourut comme une flèche de lumière la distance qui la séparait du bord de la falaise puis, alors que le soleil sur sa gauche explosait le ciel dans une débauche de rouge et de feu, elle bondit dans le vide.

Courbe épurée d'une parabole parfaite.

Gerbes d'eau.

Jaillissement d'écume.

Ewilan et Aquarelle disparurent.

Happées par l'Œil.

28

J'ai vécu longtemps, beaucoup lu, étudié, pensé. Je sais désormais que je ne sais rien.

Maître Duom Nil' Erg, *Journal*

Illian fut incapable de s'approcher de l'Œil d'Otolep. Arrivé en vue de sa berge, il fut pris de tremblements incontrôlables. Son front s'emperla de sueur et il se mit à gémir. Edwin connaissait ces symptômes. Il fit reculer l'attelage jusqu'à ce qu'Illian se sente mieux, confia sa garde à maître Duom et Ellundril Chariakin puis, accompagné d'Artis Valpierre, il talonna sa monture.

Ils retrouvèrent Salim et Ellana au bord de l'eau. Immobiles, ils contemplaient la surface sans ride qui, avec la venue du soir, prenait l'aspect d'une encre sombre. Ils étaient silencieux et ne tournèrent pas la tête lorsque Edwin et Artis s'approchèrent d'eux.

Les quatre amis se tinrent un long moment ainsi sans parler. Lorsque la nuit saupoudra le ciel devenu noir d'une multitude d'étoiles scintillantes, Ellana prit doucement la main de Salim.

– Viens, murmura-t-elle. Nous rentrons.

Salim se dégagea en douceur et, sans quitter l'eau des yeux, s'assit sur le sol rocheux. Son cœur battait lentement, à grands coups puissants, distillant en lui une certitude absolue.

Il ne quitterait pas cet endroit.

Pas sans Ewilan.

Il n'était ni malheureux ni écrasé.

Ou désespéré.

Il se trouvait simplement en marge du monde.

Il l'attendait.

Edwin et Ellana échangèrent un regard, le maître d'armes hocha la tête et la marchombre, le visage fermé, recula d'un pas. Sans un bruit, les trois adultes se détournèrent, abandonnant Salim à sa solitude.

Il ne s'en aperçut pas.

Bien plus tard, le disque d'argent de la lune se leva, nimbant la surface de l'Œil et la roche blanche qui l'entourait d'une lueur fantomatique. Salim ne bougeait toujours pas. Il n'avait pas conscience du temps qui s'écoulait ni de la présence silencieuse d'Ellana dans l'ombre, une vingtaine de mètres derrière lui.

Il l'attendait.

La lune traversa le ciel, bascula derrière les montagnes. Les étoiles pâlirent. Edwin avait rejoint Ellana, la tenait serrée contre lui, ses rudes mains de guerrier caressant la chevelure soyeuse de la marchombre. Lorsqu'il la sentit frémir, il comprit qu'elle allait parler. Partir. Qu'elle ne supportait plus le silence de Salim, son immobilité. Il la retint.

Salim attendait toujours.

À l'est, l'horizon s'ourla d'un liseré de clarté qui se répandit doucement en une pâle lueur annonciatrice d'une aube nouvelle.

La surface de l'Œil se déchira alors que le soleil jaillissait au-dessus des collines.

Ewilan apparut, ruisselante d'eau et de lumière.

Montée sur Aquarelle, ses cheveux auréolés par l'astre du jour, elle se tenait droite et rayonnait de sa plénitude retrouvée.

La cavalière et sa monture fendirent les flots jusqu'à Salim qui s'était levé et avait fait trois pas dans leur direction.

À peine surpris.

En arrivant à sa hauteur, Ewilan se laissa glisser dans ses bras. Ils s'enlacèrent tandis qu'Aquarelle s'ébrouait.

Les rayons du soleil auréolent deux corps, fondus dans un seul et immense bonheur.

Peau noire, peau blanche, éclat de passion.

Souffle magique.

Qui les emporte.

Edwin et Ellana s'éloignent, émus au-delà des larmes. Au-delà des mots.

Ewilan et Salim s'aiment.

29

L'Œil d'Otolep faisait-il partie de notre monde ou était-il une extension de l'Imagination ? Un jour, j'eus la réponse à cette question.

Maître Duom Nil' Erg, *Journal*

Le soleil était à son zénith lorsqu'ils rejoignirent le campement. Le premier, Illian les aperçut. Il courut dans leur direction et se précipita dans les bras d'Ewilan.

– Tu m'as manqué, balbutia-t-il. J'avais peur. Tu m'as manqué...

– Je suis revenue.

Elle le serra contre elle avant de le faire tournoyer, elle riant, lui poussant un long hurlement de joie. Elle le reposa finalement au sol et se tourna vers ses amis qui s'étaient approchés.

– Ewilan... commença maître Duom, tu... Edwin nous a appris... Que s'est-il passé ?

Elle sourit et sa métamorphose devint évidente. Ses immenses yeux violets brillaient avec plus d'éclat que jamais, elle avait gagné en maturité, en assurance, comme en témoignaient ses doigts liés à ceux de Salim, mais, au-delà des apparences, elle dégageait une aura nouvelle. L'aura sereine de ceux qui ont franchi une limite d'ordinaire interdite et en sont revenus transformés. Grandis. De corps et d'esprit.

– L'Œil d'Otolep est bien plus qu'un lac, dit-elle d'une voix douce. Il possède une conscience, une volonté. Il est vivant.

– Vivant ? Mais...

– Il est le reflet de l'Imagination dans notre monde, le garant de son équilibre, un gardien de l'harmonie.

Artis Valpierre se racla la gorge.

– Le... Es-tu toujours... est-il encore ?

Pour toute réponse, Ewilan souleva sa tunique. Son ventre ne présentait plus la moindre cicatrice.

– La force que je ressens depuis des semaines provient de l'Œil d'Otolep. Il m'a acceptée en son sein, moi et non le parasite n'ralaï. Il m'a guérie parce qu'il a besoin de mon aide. Il a modifié quelque chose en moi.

– Modifié ? Que veux-tu dire ?

L'inquiétude pointait dans la voix de maître Duom.

– Regardez.

Un bouquet de roses argentées apparut dans la main qu'Ewilan tendait à Ellana.

– Pour toi, ma sœur. Parce que tu as toujours été là.

Les yeux de la marchombre s'embuèrent alors qu'elle saisissait le bouquet. Elle les essuya brièvement de la manche.

– Tu peux à nouveau dessiner ? s'étonna-t-elle. Malgré la méduse ?

– Oui. La méduse souille toujours les Spires. Elle utilise sa puissance afin de s'immiscer dans notre monde, mais elle ne peut rien contre moi. Ses tentacules me fuient ; l'eau de l'Œil d'Otolep est un poison pour eux et mon esprit comme mon corps en sont saturés.

– Tu peux détruire cette monstruosité ? s'écria maître Duom.

– C'est ce que l'Œil attend de moi. J'en suis aujourd'hui incapable et j'ignore comment j'y parviendrai mais c'est la mission dont je suis chargée.

– Comment remplir une mission dont on ne sait rien ? s'étonna l'analyste.

Ewilan posa une main rassurante sur son bras.

– Je sais une chose essentielle.

– Laquelle ?

– Les clefs qui me manquent se trouvent à Valingaï.

Maître Duom aurait aimé s'approcher de l'Œil d'Otolep qu'il n'avait vu qu'une fois dans sa vie, mais Edwin préféra partir sur-le-champ. Il pensait à la suite de leur expédition et redoutait la saison des tempêtes estivales. Illian, terrifié au souvenir des tourments qu'il avait éprouvés la veille, en pleura de soulagement.

Ils franchirent sans difficulté la rivière et atteignirent les rives de la mer des Brumes en fin de journée. Un village de pêcheurs – un gros bourg en fait – se dressait là, un peu à l'écart du port. Les enfants qui jouaient sur les quais s'égaillèrent à leur arrivée et un groupe d'hommes avança dans leur direction.

Edwin alla à leur rencontre et, rapidement, une discussion animée s'engagea.

– Si nous attendions notre guide dans une taverne? proposa Ellana.

Son idée ne rencontra que des échos favorables. Abandonnant Edwin à ses palabres, les chevaux et les chariots à un jeune garçon d'écurie, ils s'installèrent dans l'arrière-salle d'une auberge qui s'ouvrait sur le port. Cela faisait bien longtemps qu'ils n'avaient pas eu l'occasion de savourer un vrai repas et l'eau leur vint à la bouche lorsqu'ils sentirent l'odeur du poisson que l'aubergiste faisait griller dans sa cuisine.

– Ce soir, nous ripaillons! s'exclama maître Duom. Pour fêter la guérison d'Ewilan et notre prochaine traversée de la mer des Brumes.

Salim poussa un vivat et les autres approuvèrent bruyamment. Seule Ewilan se contenta d'un hochement de tête. Elle comprenait la liesse de ses compagnons mais le souvenir d'Erylis dansait trop fort dans son cœur pour qu'elle ait une réelle envie de se réjouir. Salim perçut son trouble et se pencha vers elle.

– Que t'arrive-t-il? Tu es malheureuse?

Elle caressa du bout des doigts la joue du garçon.

– Non. Bien au contraire...

Lorsque Edwin les rejoignit, une assiette de filets de poisson fumants l'attendait, agrémentés d'une garniture de crevettes des sables et d'un appétissant pâté d'herbes.

– Nous prendrons la mer demain à l'aube, annonça-t-il. Nous embarquerons avec les chevaux mais il nous faudra abandonner un des chariots car le bateau qu'on nous propose ne pourra contenir les deux. Dans trois jours, quatre au maximum, nous aborderons les rivages du désert Ourou.

Il se versa une rasade de vin.

— Portons un toast à la suite de notre voyage !

— Et à la mémoire d'Erylis, ajouta Ewilan d'un ton aussi serein que le violet de ses yeux.

Un silence intense succéda à sa phrase. Les regards de ses amis se tournèrent vers elle, la scrutèrent puis, un à un, ils levèrent solennellement leur verre.

— À la mémoire d'Erylis !

À cet instant précis, une voix de baryton tonitrua dans l'auberge :

— Tavernier, à boire !

Puis une autre, plus posée :

— Nous cherchons des amis. Ils ont peut-être embarqué ici pour traverser la mer des Brumes.

Et une dernière, douce et féminine :

— Ils n'ont pas plus d'un jour d'avance sur nous. Certainement moins.

Ewilan reconnut les trois voix juste avant Salim. Elle se leva d'un bond et se précipita dans la salle principale.

Un colosse était accoudé au comptoir, une impressionnante hache de combat posée près de lui. À ses côtés, une jeune guerrière aux cheveux blonds nattés portait un sabre en travers des épaules tandis qu'un homme bien bâti, vêtu de cuir, se tenait légèrement en retrait. Il se retourna en entendant des bruits de course.

Ewilan se jeta dans ses bras.

— Mathieu !

30

L'Œil d'Otolep utilisa Aquarelle comme vecteur de sa volonté.
L'amour que portait la petite jument à sa maîtresse fit le reste.
Maître Duom Nil' Erg, *Journal*

Pendant un long moment l'auberge fut le siège de retrouvailles bruyantes et animées.

Bjorn poussa un rugissement de liesse qui fit trembler les vitres, s'empara de Salim et le serra contre son cœur au risque de lui briser la totalité des côtes.

Ellana et Edwin entourèrent Siam et la pressèrent de questions, tandis que maître Duom tentait d'arracher Mathieu à l'étreinte de sa sœur pour avoir sa part d'embrassades.

Jusqu'à Artis Valpierre qui trépignait de joie en serrant l'épaule du chevalier, ce qui constituait pour lui une inhabituelle débauche de sentiments.

Lorsque le calme fut revenu, les compagnons s'installèrent autour de la table garnie de victuailles et, pendant que Bjorn hélait le tavernier, maître Duom s'apprêta à entamer l'un de ces interminables interrogatoires dont il avait le secret. Ewilan lui coupa la parole.

– Où sont nos parents ? demanda-t-elle à Mathieu. Comment vont-ils ?

– Ils vont bien, la rassura-t-il. Du moins ils allaient bien la dernière fois que je les ai vus. Nous nous sommes séparés il y a trois jours lorsque...

– Laisse-moi raconter, tonitrua Bjorn en lui assenant une bourrade affectueuse qui faillit lui démettre l'épaule. Notre périple exige d'être narré par un homme preux rompu aux quêtes épiques, un chevalier sachant manier les mots aussi bien que les armes, un...

Salim émit un ronflement sonore qui fit éclater de rire l'assemblée. Bjorn se leva en frappant un grand coup de poing sur la table. Un immense sourire fendait son visage.

– Par le sang des Figés ! vociféra-t-il en menaçant Salim du poing. J'avais oublié quel affreux trublion tu es. Comment un nabot vulgaire et perfide comme toi ose-t-il me...

– Bjorn, intervint Ellana, si tu ne te mets pas immédiatement à raconter ton histoire, lorsque j'en aurai fini avec toi tu ressembleras à ce pâté de termites. En moins appétissant.

La menace, bien qu'amicale, avait été prononcée avec suffisamment de conviction pour que le chevalier cesse ses gesticulations et se rassoie.

– Toi non plus tu n'as pas changé, marmonna-t-il à l'attention d'Ellana. Tu as autant de sensibilité qu'un caillou.

– Raconte !

– Bon. Après avoir traversé la mer des Brumes, nous avons mis quinze jours pour franchir le désert Ourou. Quinze jours de combats héroïques contre des conditions climatiques effroyables et contre les créatures qui vivent là, aussi assoiffées de notre sang que nous l'étions d'eau ! Vous savez que ce lieu maléfique coupe les dessinateurs de l'Imagination, Élicia et Altan se trouvaient donc dans l'impossibilité de nous épauler et nous avons dû nous frayer un passage à coups de hache. Heureusement, les soldats de la Légion noire qui nous escortaient ont fait du bon boulot et nous n'avons eu que quelques pertes à déplorer.

En entendant Bjorn mentionner les légionnaires, Salim serra les poings mais le chevalier parlait de soldats fidèles à l'Empire, pas des traîtres qui leur avaient tendu un piège et tué une de leurs amies.

– Nous avons découvert que Valingaï n'est pas la seule cité qui se dresse de l'autre côté du désert. La route que nous avons suivie nous a tout d'abord conduits à Hurindaï, une gigantesque...

– Hurindaï est bien plus petite que Valingaï, intervint Illian, l'air sévère.

– Je n'en doute pas, bonhomme. En atteignant Hurindaï, disais-je, Élicia et Altan ont compris que la mission diplomatique que leur avait confiée l'Empereur risquait d'être plus ardue que prévu. En effet, il n'y a pas de gouvernement unique là-bas mais un roi à la tête de chaque cité-état, un roi le plus souvent occupé à guerroyer contre ses voisins. Éléa Ril' Morienval avait raison. Il y a des hommes de l'autre côté du désert Ourou et ce ne sont pas des tendres !

– Cela n'explique pas votre présence ici, remarqua Edwin. Ni la tienne, Siam !

– J'y arrive, reprit Bjorn, j'y arrive. Nous avons été accueillis avec cordialité à Hurindaï mais cette cité ne jouit pas d'une grande influence en termes de puissance ou de rayonnement politique. S'il y avait un pouvoir fort, c'était à Valingaï que nous le trouverions.

– Je te l'avais dit, cracha Illian sur un ton arrogant. Il n'y a que des bébés à Hurindaï. Les forts sont valinguites !

Jamais le jeune garçon ne s'était exprimé avec autant de morgue et Ewilan l'observa avec surprise. Bjorn tiqua aussi, faillit le rabrouer puis choisit finalement de reprendre son récit.

– Élicia et Altan ont décidé de rester quelque temps à Hurindaï. D'abord pour jeter les bases d'un accord avec l'Empire, ensuite pour en apprendre davantage sur cette fameuse Valingaï avant de la rallier. Des rumeurs inquiétantes couraient qui...

– Toi, le gros lard, si tu dis un mot de travers sur Valingaï, je te fais exploser le cœur !

Illian, méconnaissable, avait crié, le visage rouge de colère, les poings serrés. Ewilan réagit avant que le chevalier ne lui assène une claque, envie compréhensible mais qui, compte tenu de la carrure de Bjorn, pouvait s'avérer dangereuse.

– Ça suffit ! Ta grossièreté me fait honte. Va te coucher immédiatement !

Illian redevint le petit garçon qu'il avait toujours été. Ses yeux se remplirent de larmes.

– Mais...

– Immédiatement !

Penaud, Illian quitta la table sans oser lever les yeux. Il grimpa les escaliers qui menaient aux chambres de l'auberge et disparut en reniflant.

Son désarroi émut Ewilan qui se promit d'aller l'embrasser avant de gagner son lit. Elle s'inquiétait de son attitude et se demanda brièvement si maître Duom n'avait pas sous-estimé les connaissances d'Illian et l'aide qu'il pouvait leur apporter dans leur mission.

L'aide ou les ennuis...

– Tu disais ? interrogea Edwin.

Bjorn secoua ses larges épaules.

– Par le sang des Figés, ce petit est encore pire que Salim ! Gros lard... Je lui en ficherais, moi, des gros lard...

Edwin toussota.

– Où en étais-je ? reprit le chevalier. Oui, des rumeurs inquiétantes courent au sujet de Valingaï. Depuis peu, KaterÃl, son roi, aurait autorisé un culte sanguinaire. Celui d'un démon. Et il aurait entrepris une politique de conquête basée sur l'éradication totale de ses ennemis. Apparemment, il connaît l'existence de Gwendalavir et ne trouve pas insensée l'idée de l'annexer un jour. Altan et Élicia ont donc pris la décision de nous renvoyer à Al-Jeit, Mathieu et moi, pour que nous portions un message à l'Empereur. La communication à distance ne fonctionne plus, ou très mal, depuis que cette créature rôde dans l'Imagination.

– La méduse ! s'exclama Ewilan. Tu l'as vue ?

– Pas moi. Je dessine juste assez bien pour signer mon nom en bas d'une lettre mais tes parents en ont beaucoup parlé.

– Je ne l'ai pas aperçue non plus, intervint Mathieu, tu sais que mon Don est un peu particulier, pourtant lorsque j'ai effectué mon pas sur le côté, j'ai senti que quelque chose ne se passait pas comme d'habitude. Je n'ai pas réussi à atteindre Al-Jeit.

– Ils sont arrivés dans la Citadelle, expliqua Siam. En plein milieu d'un conseil des chefs des Marches du Nord ! Cela a failli tourner au massacre avant que père ne se rende compte qu'il s'agissait d'amis. Comme ils tenaient absolument à repartir sur-le-champ, j'ai proposé de les guider jusqu'à Al-Jeit. En route, nous sommes tombés sur vos traces et nous voilà.

– Pourquoi n'avoir pas continué vers la capitale ? s'étonna Edwin. Vos ordres étaient clairs, vous détenez un message que l'Empereur doit lire au plus tôt.

– Parce que, parmi les traces en question, il y avait le corps d'un légionnaire, une flèche faëlle fichée dans la nuque. Que s'est-il passé ?

– Plus tard, décida Edwin. Vous avez donc choisi de ne pas poursuivre vers le sud...

– Disons que nous avons longuement hésité...

– Au moins dix secondes, précisa Siam avec un grand sourire.

– ... et nous avons opté pour un détour. Nous savions par Hander Til' Illan que vous vous apprêtiez à traverser la mer des Brumes. Vous ne pouviez pas être loin.

– Et vous aviez peut-être besoin d'aide, ajouta Mathieu. Le Seigneur des Marches du Nord a laissé entendre qu'un escadron de la Légion noire vous accompagnait. Lorsque nous avons découvert ce légionnaire mort, nous nous sommes vraiment inquiétés.

– Soit, admit Edwin. La décision n'était pas aisée. Il n'en reste pas moins que Sil' Afian doit recevoir ce message. Il vous faut rebrousser chemin.

– Il n'en est pas question ! s'emporta Bjorn. Vous ignorez ce qui vous attend de l'autre côté de la mer. Tenter la traversée du désert Ourou sans une solide escorte équivaut à un suicide.

– Nous n'avons pas le choix, rétorqua Edwin. Le pêcheur qui nous fait passer demain a déjà beaucoup hésité avant d'accepter. Les tempêtes estivales sont proches, il nous est impossible d'attendre un éventuel renfort.

– Donc nous vous accompagnons !

Le chevalier avait parlé avec plus d'assurance qu'il n'en éprouvait réellement. S'opposer à Edwin Til' Illan revenait souvent à s'attirer de gros ennuis. Ewilan décida d'intervenir avant que la situation ne dégénère.

– Je peux effectuer un pas sur le côté, annonça-t-elle, et transmettre ce message.

– Et la méduse ! s'exclama Mathieu. Tu l'oublies ?

– Je ne crois pas que je l'oublierai un jour, répondit Ewilan avec un sourire las. Il se trouve que depuis peu je suis immunisée contre son pouvoir. Je ne courrai pas le risque d'emmener quelqu'un avec moi mais je peux me déplacer sans danger.

Edwin n'hésita qu'une fraction de seconde.

– Très bien, décida-t-il. Rejoins-nous ici dès que possible.

Ewilan prit le message que lui tendait Mathieu et, après un bref au revoir, se glissa dans les Spires.

La situation n'avait pas évolué. La méduse pesait de toute son effrayante énergie sur la frontière entre l'Imagination et le monde réel. En revanche, lorsque Ewilan s'approcha, les tentacules noirs refluèrent, comme brûlés par une invisible aura, et elle dessina sans difficulté son pas sur le côté.

Elle disparut.

31

Une nuit! Ewilan Gil' Sayan est restée une nuit entière sous
la surface de l'Œil. Je n'ai jamais réussi à y tremper le bout
d'un orteil...

Maître Duom Nil' Erg, *Journal*

Ewilan se matérialisa dans un des salons du palais,
près d'une impressionnante enjôleuse d'Hulm qui
dardait ses vrilles vers le plafond en sifflant doucement. Elle sortit dans le couloir et se dirigea vers les
appartements de Sil' Afian. Elle n'était pas certaine
de l'y trouver mais on lui indiquerait là comment le
rejoindre.

Elle n'avait pas fait vingt pas qu'une haute silhouette sombre vêtue d'une armure de vargelite se
dressait devant elle, une lance de combat à la main,
lui interdisant le passage.

Ewilan sentit son cœur se serrer et, avant même
de réaliser ce qu'elle faisait, se lança dans les Spires.
Le sang sur la tunique d'Erylis, la détresse de Chiam,
le poignard d'Olgin plaqué contre sa propre gorge,
étaient des souvenirs bien trop récents pour qu'elle

considère le légionnaire autrement que comme un ennemi.

Un filet surgi du néant s'abattit sur lui, l'emprisonnant dans ses mailles tandis que le sol sous ses pieds se transformait en glace. Une violente rafale de vent s'engouffra dans le couloir et déferla sur le légionnaire qui s'effondra. Il ouvrait la bouche pour donner l'alarme lorsqu'une balle de tennis jaune fluo apparut entre ses dents, lui coupant le souffle et la parole.

Les mâchoires écartelées, les membres immobilisés, le regard incrédule, il resta étendu sur le sol, contemplant stupidement la jeune fille qui l'avait réduit à l'impuissance en moins de cinq secondes.

– Ewilan ! Que signifie ceci ?

La voix, connue, avait retenti dans son dos. Ewilan pivota et se retrouva face à Sil' Afian qui la dévisageait, stupéfait. Les soldats escortant l'Empereur avaient posé la main sur leurs armes mais d'un ordre bref, il leur intima le calme.

– Que signifie ceci ? répéta-t-il.

Ewilan avait du mal à reprendre pied dans la réalité. Pendant un moment elle n'avait été que haine et elle s'empourpra en réalisant qu'elle aurait pu tout aussi bien tuer le légionnaire. Un homme qui, elle s'en rendait compte, n'avait rien à voir avec les assassins d'Erylis.

– Je... J'ai... un message urgent pour vous, balbutia-t-elle. Je suis arrivée au palais grâce à un pas sur le côté et j'ai cru qu'on m'attaquait. Je suis désolée.

Les yeux de Sil' Afian s'écarquillèrent.

– Tu as cru qu'un soldat de la Légion noire t'attaquait ? suffoqua-t-il. Tu as perdu la raison ?

Deux membres de l'escorte s'affairaient à libérer le légionnaire du filet dans lequel elle l'avait empêtré, il allait se lever, lui demander des comptes, l'Empereur la dévisageait comme si elle était folle. Ewilan eut tout à coup l'impression d'être prisonnière d'un cauchemar. Elle devait réagir.

– Il faut que je vous parle, fit-elle en plantant son regard dans celui de Sil' Afian. Seule. Maintenant.

L'Empereur l'écouta avec une totale attention, sans broncher, même lorsqu'elle relata la trahison des légionnaires. Il n'avait pas montré la moindre hésitation lorsqu'elle avait sollicité un entretien privé et il l'avait entraînée à sa suite dans un bureau inoccupé dont il avait refermé la porte derrière eux. Il lui avait désigné un siège et s'était assis en face d'elle, déjà concentré.

Elle acheva son récit en lui tendant la lettre d'Altan et Élicia. Il la parcourut rapidement puis recommença sa lecture en levant parfois la tête pour poser des questions sur l'Imagination, l'Œil d'Otolep et la méduse, questions auxquelles Ewilan s'efforça de répondre avec le maximum de concision.

– Le plus sage serait de renoncer à l'expédition vers Valingaï, annonça-t-il finalement. Non, écoute-moi jusqu'au bout, j'ai dit serait... Qu'Éléa Ril' Morienval utilise maître Elis tombé sous sa coupe pour t'assassiner a un sens, qu'elle se serve de lui et des légionnaires pour liquider Illian en a un autre. Cette traîtresse participe à un complot qui se trame à Valingaï, c'est évident ! Évident et inquiétant, d'autant plus que tes parents évoquent les visées de KaterÃl sur Gwendalavir. Si on y ajoute la méduse dans les Spires et la pusillanimité de nos Sentinelles, cela fait beaucoup. Je crains que l'Empire n'entre dans une nouvelle période trouble. L'heure n'est plus aux missions diplomatiques, il nous faut resserrer les rangs et nous préparer au pire...

– Vous n'envisagez pas de sacrifier mes parents ?

Ewilan s'était levée. Son cri fit sursauter l'Empereur.

– Bien sûr que non, rassure-toi. J'ai le sentiment de les avoir précipités dans un piège lorsque je leur ai confié cette mission d'exploration et il est inconcevable qu'aujourd'hui je les abandonne. Tu vas immédiatement repartir auprès d'Edwin et lui donner ce message.

Joignant le geste à la parole, Sil' Afian saisit un parchemin et traça quelques lignes d'une plume vigoureuse.

– Voilà, dit-il en tendant le parchemin à Ewilan. Je lui demande de traverser la mer des Brumes afin de ramener Altan, Élicia et leurs compagnons en Gwendalavir. La situation est trop périlleuse pour que des Alaviriens demeurent à Valingaï. Les membres de la deuxième expédition reviendront à Al-Jeit le plus rapidement possible.

– Et Illian ? Et moi ?

– Tant que nous n'en saurons pas davantage sur le peuple de Valingaï et ses objectifs, Illian restera ici. Quant à toi, ton Don est trop précieux pour que je te laisse risquer ta vie dans cette aventure. As-tu une objection ?

Ewilan réfléchit un instant et secoua la tête.

– Je ne me le permettrais pas.

– Crois-moi, c'est la meilleure solution. Va maintenant. Je crains que le temps ne nous glisse entre les doigts !

Ewilan se leva et salua respectueusement l'Empereur. Elle visualisa ensuite l'arrière-salle de la taverne près de la mer des Brumes et dessina son pas sur le côté. Elle plongeait dans les Spires lorsque la voix retentit dans son esprit :

– *Ewie, attends !*

Nulle autre qu'Ewilan n'aurait été capable de changer de destination alors que son pas sur le côté avait commencé. Elle y parvint de justesse. Par une extraordinaire utilisation de son pouvoir, elle ne se matérialisa pas près de ses amis mais sous le grand cèdre au centre du parc de l'Académie. Liven était là.

Lorsqu'il la vit, il ouvrit les bras. Un frisson parcourut le dos d'Ewilan pourtant elle resta à distance, se contentant de frôler l'extrémité de ses doigts d'une caresse furtive.

– Bonsoir Liven.

– J'ai senti que tu étais à Al-Jeit, expliqua-t-il, sans laisser paraître sa déception. Je l'ai perçu, là, comme on voit la lumière d'un phare au milieu de la nuit.

Il montrait son cœur et Ewilan sentit le sien s'accélérer.

– Comment peux-tu effectuer le pas sur le côté alors que la méduse bloque les Spires ? poursuivit-il. J'ai un mal fou à utiliser les Spires les plus basses pour réaliser des dessins de débutant.

– Je n'ai pas le temps de te raconter. Il ne faut plus que tu dessines, Liven, la méduse est trop dangereuse.

– Le principal défaut de cette créature est de m'empêcher de te parler lorsque j'en ai envie, Ewie. Je me moque des dangers que je cours. D'ailleurs, avec Kamil et Lisys, nous avons commencé à l'étudier et...

– Vous avez commencé à quoi ?

– À l'étudier. Ou plutôt à étudier les faiblesses de la frontière qui sépare l'Imagination du monde réel puisqu'il est maintenant évident que la méduse tente d'envahir Gwendalavir. Nous cherchons un moyen de renforcer cette frontière.

– Vous êtes fous !

– Non, nous œuvrons pour l'Empire. Nous avons progressé et je suis sûr que si tu te joignais à nous, nous réussirions à contrer définitivement la méduse.

– C'est impossible, Liven.

– Qu'est-ce qui est impossible ? Contrer la méduse ou te joindre à nous ?

– Les deux, j'en ai peur.

Liven secoua la tête.

– C'est faux ! La méduse peut être vaincue et si tu acceptais ce que je t'offre, tu comprendrais où se trouve ta véritable place.

– Ce que tu m'offres ?

Il fit un pas en avant et lui saisit les mains sans qu'elle songe à se dégager.

– Je t'offre mon cœur, Ewie, le cœur de quelqu'un qui connaît comme toi la beauté des Spires, le miracle des possibles et la magie de l'Imagination. Je t'offre le plaisir et la puissance, la gloire et l'absolu. Je t'offre mille bonheurs qui rendront fades les rêves les plus fous des gens qui ne nous comprennent pas. Je t'offre mon âme, Ewie.

Il l'attira doucement contre lui et elle se retrouva blottie contre sa poitrine. Elle leva les yeux, il baissa la tête, leurs bouches s'approchèrent, leurs lèvres se frôlèrent... Elle s'écarta d'un bond.

– Non, haleta-t-elle. Je ne veux pas !

– Encore un mensonge, répliqua Liven d'une voix rauque.

– Je ne mens pas !

Elle avait crié. Liven, lui, murmura.

– Regarde-moi dans les yeux et affirme que tu n'éprouves rien pour moi.

Elle resta muette.

– Dis-le, insista-t-il d'une voix plus forte. Dis-le puisque tu ne mens jamais. Dis-le, Ewie ! Ou alors accepte ce que souffle ton cœur, ce que hurle ton corps...

Elle lui jeta un regard implorant mais il ne céda pas et lorsqu'il tendit la main vers elle, elle sentit son être entier se déchirer.

Elle fit un pas en avant.

Un sourire de victoire se dessina sur le visage de Liven.

Se transforma en grimace.

Ewilan avait disparu.

32

L'Œil d'Otolep est un endroit sympa pour pique-niquer.

Merwyn Ril' Avalon

Ewilan se matérialisa dans l'arrière-salle de l'auberge. Comme elle s'y attendait, ses amis étaient là et ils l'accueillirent avec des exclamations de joie.

– Que t'arrive-t-il ? lui demanda Ellana lorsque le calme fut revenu. Tu as les yeux aussi brillants que si tu avais regardé le soleil en face.

– C'est exactement ce qui s'est passé, expliqua Ewilan en essuyant une larme sur sa joue. Un peu stupide mais pas grave...

La marchombre lui décocha un long regard scrutateur. Bien qu'elle ne la crût pas, elle resta coite.

– As-tu rencontré l'Empereur ? s'enquit Edwin.

– Oui. Je lui ai transmis le message de mes parents et raconté tout ce qui nous est arrivé.

– Très bien. T'a-t-il confié une lettre pour moi ?

– Non.

– Non ?

– Il m'a simplement chargée de te dire que nous devions continuer. Traverser la mer des Brumes, ramener Illian chez lui et rentrer avec mes parents sans nous attarder à Valingaï.

– Et il n'a rien écrit ?

Ewilan se contenta de hausser les épaules. La missive de l'Empereur était enfouie au fond de sa poche mais elle n'éprouvait pas le moindre sentiment de culpabilité. La mission que l'Œil d'Otolep avait inscrite en elle revêtait tellement plus d'importance qu'un ordre impérial...

Edwin parut surpris.

– Cela ne ressemble pas à Sil' Afian, remarqua-t-il, même si les nouvelles que tu lui as apportées sont préoccupantes. La situation se révèle sans doute plus grave et complexe que je ne l'imaginais.

Après un silence, il reprit, entièrement concentré sur la tâche qui lui restait à mener :

– Nous partirons à l'aube. Je vous conseille de regagner vos chambres. Nous constituons une valeureuse équipe qui a déjà fait ses preuves et je veux que tout le monde soit en forme demain matin.

Ewilan laissa ses compagnons suivre les recommandations du maître d'armes. Elle avait besoin de faire le point. Ses retrouvailles avec Liven l'avaient bouleversée. Elle ressentait encore le formidable élan qui l'avait poussée vers lui, son cœur continuait à battre sur un rythme fou, ses lèvres avaient soif, elle...

– Tu dors déjà ?

Salim s'approchait d'elle. Depuis l'Œil d'Otolep, la flamme qui avait toujours brillé dans ses yeux lorsqu'il la regardait était devenue brasier. Il posa une main sur son épaule. Une autre sur sa taille.

Caressantes.

Pressantes...

Ewilan se dégagea. Presque avec froideur. Elle n'avait pas prémédité son geste, elle le regretta aussitôt, voulut se rattraper :

– Je suis épuisée, Salim. Vraiment.

Cela ne marcha pas.

– Je comprends, murmura-t-il en reculant d'un pas. Bonne nuit, ma vieille.

Elle tendit le bras dans sa direction. Il avait déjà tourné les talons. Il disparut dans les escaliers avant qu'elle ne trouve le courage de le rappeler.

Une chape de fatigue s'abattit sur les épaules d'Ewilan. C'était trop. La méduse, le parasite n'ralaï, la mort d'Erylis, celle de maître Elis, Éléa Ril' Morienval, la trahison des légionnaires et maintenant Salim, Liven... L'énergie phénoménale offerte par l'Œil d'Otolep était dédiée à une tâche précise, elle ne lui servait à rien pour affronter la multitude de difficultés qui se dressaient devant elle. Au contraire...

D'une démarche lasse, elle sortit de l'auberge.

La nuit s'était installée. Une nuit limpide qui laissait s'épanouir la magie de myriades d'étoiles. Ewilan s'allongea sur la pierre lisse d'un quai désert et se perdit dans la contemplation de la voûte céleste.

Peu à peu l'angoisse qui s'était emparée d'elle s'estompa, la boule nouée dans sa gorge disparut, son souffle s'apaisa. La beauté des étoiles et la proximité de la mer guidèrent ses pensées jusqu'à la Dame. Où était-elle en ce moment ? Savait-elle que l'Imagination était envahie ? Était-elle, malgré son pouvoir, menacée par la méduse ?

La Dame, la méduse, deux êtres diamétralement opposés et pourtant... Frappée qu'elles portent le nom de créatures aquatiques, Ewilan se prit à leur trouver des similitudes. L'étrangeté, la puissance, la faculté de voyager entre les dimensions...

Non. C'était ridicule. La méduse représentait le Mal. Il n'y avait aucun rapport entre elle et la Dame. Comme pour la remercier de cette pensée, la forme effilée d'un cétacé géant naquit dans son esprit, environnée d'un halo de sérénité. Avec un soupir de soulagement, Ewilan plongea à sa suite dans un océan de quiétude.

Un long moment plus tard, une silhouette s'assit près d'elle.

– Je peux t'aider, petite sœur ?

Ewilan émergea de sa rêverie. Elle se tourna vers Mathieu et lui sourit.

– Tout va bien, le rassura-t-elle. Je pensais à cette expédition. Cela ne sera pas facile, n'est-ce pas ?

– Je le crains, acquiesça-t-il. La mer des Brumes, le désert Ourou et ses créatures féroces, Valingaï et ses rites déments... Mais nous nous en sortirons. Nous nous en sommes toujours sortis...

Elle hocha la tête, consciente que les paroles de son frère n'étaient qu'un vœu pieux, que l'adversaire qu'ils affrontaient cette fois pouvait causer leur perte. Avait de bonnes chances de causer leur perte...

Ils se tinrent longtemps silencieux, immobiles, plus proches qu'ils ne l'avaient jamais été puis, comme la lune se levait à l'horizon, ronde et énorme, Mathieu lui prit la main.

– Nous devrions aller dormir, tu ne crois pas ?

Ils se levèrent et s'avancèrent vers l'auberge. Ils en franchissaient le seuil lorsque, avec un déclic presque audible, une pièce du puzzle s'assembla soudain dans l'esprit d'Ewilan. Elle interpella Mathieu.

– Comment s'appelle le démon que vénèrent les Valinguites ?

Il se tourna vers elle.

– Ils font plus que l'adorer, ils passent leur temps à l'invoquer dans l'espoir fou qu'il se matérialisera pour prendre la tête de leurs armées et les conduire à la conquête du monde.

– Et son nom ?

– Il est étrange pour un démon aussi sanguinaire. Les Valinguites le nomment Ahmour !

33

La pleine lune brille, nimbant le paysage d'une lumière argentée presque irréelle. Les myriades d'étoiles qui parsèment la voûte céleste se reflètent avec une perfection absolue dans le miroir sombre que forme la surface de l'Œil d'Otolep.

Sur la berge gît, abandonnée, la robe noire d'un mendiant.

GLOSSAIRE

Alaviriens
Habitants de Gwendalavir.

Altan Gil' Sayan
Une des Sentinelles les plus puissantes de Gwendalavir.
Il est le père d'Ewilan et d'Akiro.

Artis Valpierre
Rêveur de la confrérie d'Ondiane, Artis est un homme d'une timidité maladive, peu habitué à côtoyer des non-rêveurs.
Comme tous ceux de sa guilde, il possède le don de guérison.

Bjorn Wil' Wayard

Bjorn a passé l'essentiel de sa vie à rechercher les quêtes épiques et à éviter les questions embarrassantes. Cela ne l'empêche pas d'être un chevalier, certes fanfaron, mais également noble et généreux.

Expert de la hache de combat et des festins bien arrosés, c'est un ami sans faille d'Ewilan et Salim.

Brûleurs

Redoutables créatures alaviriennes heureusement peu communes.

Les brûleurs peuvent mesurer plus de dix mètres de long et n'ont aucun prédateur.

Bruno Vignol

Personnage cultivant le secret, Bruno Vignol possède un très grand pouvoir politique et de nombreux appuis.

Il connaît l'existence de Gwendalavir.

Buhuna Sil' Afian

Cousine de l'Empereur. C'est elle qui s'occupe d'Illian durant son séjour à Al-Jeit.

Camille Duciel

Voir Ewilan Gil' Sayan.

Chiam Vite

Chiam est un Faël, un redoutable tireur à l'arc et un compagnon plein de verve et de piquant.

Il adore se moquer des humains et de leur lourdeur, mais il fait preuve d'une solidarité sans faille envers ses amis alaviriens.

Chuchoteurs

À peine plus gros qu'une souris, les chuchoteurs sont de petits rongeurs qui possèdent la capacité de faire le pas sur le côté. Ils sont utilisés par les dessinateurs accomplis pour transmettre des messages.

Dames

Les dames sont des cétacés géants qui règnent sur les eaux de Gwendalavir. La Dame, elle, est une immense baleine grise qui semble posséder un pouvoir supérieur à celui des dessinateurs alaviriens.

Dragon

Il n'existe qu'un Dragon, une créature extrêmement puissante qui forme, avec la Dame, le couple le plus étrange de l'autre monde.

Duom Nil' Erg

Analyste célèbre pour son talent et son caractère épineux, Duom Nil' Erg a testé des générations de dessinateurs, définissant la puissance de leur don et leur permettant de l'utiliser au mieux.

Ses capacités de réflexion et sa finesse d'esprit ont souvent influencé la politique de l'Empire.

Edwin Til' Illan

Un des rares Alaviriens à être entré, de son vivant, dans le grand livre des légendes. Edwin Til' Illan est considéré comme le guerrier absolu.

Maître d'armes de l'Empereur, général des armées alaviriennes, commandant de la Légion noire, il cumule les titres et les prouesses tout en restant un personnage très secret.

Éléa Ril' Morienval

Cette Sentinelle déchue, aussi puissante qu'Élicia et Altan Gil' Sayan, est une figure ténébreuse. Son ambition et sa soif de pouvoir sont démesurées. Son absence de règles morales et sa cruauté la rendent redoutable.

Elle a été mise en échec par Ewilan et a juré de se venger.

Élicia Gil' Sayan

Élicia est la mère d'Ewilan.

Sa beauté et son intelligence ont failli faire d'elle l'Impératrice de Gwendalavir, mais elle a choisi Altan. Comme lui, elle est Sentinelle.

Elis Mil' Truif

Maître dessinateur, professeur à l'Académie d'Al-Jeit et auteur de plusieurs ouvrages traitant du Dessin.

Ellana Caldin

Jeune marchombre rebelle et indépendante.

Au sein de sa guilde, Ellana est considérée comme un prodige marchant sur les traces d'Ellundril Chariakin, la mythique marchombre.

Elle a toutefois conservé une fraîcheur d'âme qui la démarque des siens.

Ellundril Chariakin

Personnage légendaire, Ellundril Chariakin représente le modèle auquel aspirent les marchombres.

Elle est censée avoir tracé la voie que suivent les membres de la guilde.

Erylis

Compagne de Chiam Vite, Erylis est une Faëlle à la beauté légendaire mais également une redoutable archère.

Ewilan Gil' Sayan

Nom alavirien de Camille Duciel. Surdouée, Ewilan a de grands yeux violets et une forte personnalité.

Elle est la fille d'Altan et Élicia Gil' Sayan, et possède le Don du Dessin dans sa plénitude. Elle a sauvé l'Empire de la menace ts'liche.

Gwendalavir

Principal territoire humain sur le deuxième monde. Sa capitale est Al-Jeit.

Hander Til' Illan

Seigneur des Frontaliers, père d'Edwin et de Siam, Hander Til' Illan est le deuxième personnage de l'Empire.

Doté d'un charisme impressionnant, il dirige les Marches du Nord d'une main de fer.

Hurindaï

Cité-état qui se dresse au-delà de la mer des Brumes.

Illian

Jeune garçon sauvé de l'Institution par Ewilan et Salim, Illian possède un étonnant pouvoir proche de l'Art du Dessin.

Il est originaire de Valingaï, une cité qui s'étend au-delà de la mer des Brumes et du désert Ourou.

Institution

Centre de recherche scientifique secret implanté au cœur de la forêt de Malaverse, qui a été démantelé par Bruno Vignol.

Ewilan et Illian y ont été enfermés.

Jilano Alhuïn

Célèbre marchombre et maître d'Ellana, il a été assassiné dans des circonstances mystérieuses.

Ellana a juré de le venger.

Jorune

Redoutable marchombre, Jorune est utilisé par les nouveaux maîtres de la guilde pour asseoir leur pouvoir.

Kamil Nil' Bhrissau

Jeune étudiante à l'Académie d'Al-Jeit et amie d'Ewilan.

Légion noire

Troupe d'élite de Gwendalavir commandée par Edwin.

Les légionnaires ont une réputation de combattants farouches et loyaux.

Lisys Lil' Sha

Jeune étudiante à l'Académie d'Al-Jeit et amie d'Ewilan.

Liven Dil' Ventin

Ami d'Ewilan, Liven étudie comme elle à l'Académie d'Al-Jeit.

C'est un dessinateur doué et ambitieux.

Maniel

Ancien soldat de l'Empire, sous les ordres de Saï Hil' Muran, Seigneur de la cité d'Al-Vor, Maniel est un colosse au caractère doux et sociable qui a aidé Ewilan à sauver l'Empire.

Entré au service de la famille Gil' Sayan comme homme-lige, il a été détruit par Éléa Ril' Morienval lorsqu'il a tiré Ewilan de l'Institution.

Marchombres

Les marchombres ont développé d'étonnantes capacités physiques basées essentiellement sur la souplesse et la rapidité.

Ils partagent une même passion de la liberté et rejettent toute autorité même si le code de conduite de leur guilde est très rigoureux.

Mathieu Gil' Sayan

De son vrai nom Akiro (nom qu'il n'utilise pas), Mathieu est le frère aîné d'Ewilan. Élevé comme elle par une famille adoptive, il a aidé sa sœur à délivrer leurs parents. Il est épris de Siam Til' Illan.

Merwyn Ril' Avalon

Le plus célèbre des dessinateurs.

Merwyn vécut il y a quinze siècles et mit fin à l'Âge de Mort en détruisant le premier verrou ts'lich dans l'Imagination.

Il est au cœur de nombreuses légendes alaviriennes.

Nalio

Jeune étudiant à l'Académie d'Al-Jeit et ami d'Ewilan.

N'ralaï

Parasite qui infeste le corps de son hôte et finit par le tuer dans d'affreuses souffrances.

Il n'existe aucun moyen de s'en débarrasser.

Œil d'Otolep

Lac mythique, au-delà de la frontière est de l'Empire. On prête à ses eaux d'étonnantes propriétés liées à l'Imagination mais nul ne sait vraiment de quoi il retourne.

Ol Hil' Junil

Jeune étudiant à l'Académie d'Al-Jeit et ami d'Ewilan.

Raïs

Aussi appelés guerriers cochons par les Alaviriens. Cette race non humaine a été vaincue par les troupes de l'Empire.

Les Raïs ne quittent plus leurs immenses royaumes au nord de Gwendalavir.

Ils sont connus pour leur bêtise, leur malveillance et leur sauvagerie.

Rêveurs

Les rêveurs vivent en confréries masculines et possèdent un Art de la guérison dérivé du Dessin qui peut accomplir des miracles.

Riburn Alqin

Un des nouveaux membres du conseil de la guilde.

Manipulateur, sournois et médiocre marchombre, Riburn Alqin est méprisé par Ellana.

Saï Hil' Muran

Seigneur de la cité d'Al-Vor, Saï Hil' Muran est un des principaux personnages de l'Empire de Gwendalavir.

Salim Condo

Salim, d'origine camerounaise, est un garçon joyeux, doté d'une vitalité exubérante. Il est prêt à suivre Ewilan jusqu'au bout du monde. Ou d'un autre...

Sentinelles

Choisies parmi les meilleurs dessinateurs de l'Empire et formées à l'Académie d'Al-Jeit, les Sentinelles mettent leur pouvoir au service de l'Empereur.

Elles surveillent également les Spires de l'Imagination.

Shanira Cil' Delian

Jeune étudiante à l'Académie d'Al-Jeit et amie d'Ewilan.

Siam Til' Illan

Jeune Frontalière, sœur d'Edwin, Siam est une guerrière accomplie dont le sourire cache une redoutable efficacité au sabre et une absence totale de peur lors des combats.

Sil' Afian

Empereur de Gwendalavir, Sil' Afian est également un ami d'Edwin et des parents d'Ewilan. Son palais se dresse à Al-Jeit, capitale de l'Empire.

Ts'liches

Les créatures effroyablement maléfiques de cette race non humaine ont menacé Gwendalavir pendant des siècles. Ewilan a déjoué leur ultime attaque et Siam a tué le dernier d'entre eux.

Valingaï

Cité-état qui se dresse au-delà de la mer des Brumes et du désert Ourou. Les Alaviriens ignoraient son existence jusqu'à ce qu'Éléa Ril' Morienval la mentionne.

Illian est originaire de Valingaï.

Vorgan

Professeur à l'Académie d'Al-Jeit et spécialiste du pas sur le côté.

Glossaire établi en collaboration avec Claudine Bottero.

LES MONDES
D'EWILAN

Une trilogie :

1. LA FORÊT DES CAPTIFS
2. L'ŒIL D'OTOLEP

À paraître prochainement :

3. LES TENTACULES DU MAL

Retrouvez
LES MONDES D'EWILAN
sur le site :

www.ewilan.cascadelesite.com

L'AUTEUR

Pierre Bottero est né en 1964. Il habite en Provence avec sa femme et ses deux filles et, pendant longtemps, il a exercé le métier d'instituteur. Grand amateur de littérature fantastique, convaincu du pouvoir de l'Imagination et des Mots, il a toujours rêvé d'univers différents, de dragons et de magie.

« Enfant, je rêvais d'étourdissantes aventures fourmillantes de dangers mais je n'arrivais pas à trouver la porte d'entrée vers un monde parallèle ! J'ai fini par me convaincre qu'elle n'existait pas. J'ai grandi, vieilli, et je me suis contenté d'un monde classique... jusqu'au jour où j'ai commencé à écrire des romans. Un parfum d'aventure s'est alors glissé dans ma vie. De drôles de couleurs, d'étonnantes créatures, des villes étranges...

J'avais trouvé la porte. »

L'ILLUSTRATEUR

Après les Arts décoratifs et une licence à la Faculté d'art de Strasbourg, Jean-Louis Thouard collabore avec de nombreux éditeurs. Il utilise à son gré la plume et le pinceau pour raconter et illustrer des histoires, sous forme d'albums, de romans, de bandes dessinées ou de dessins de presse.

Jean-Louis Thouard vit actuellement près de Dijon. Pour en savoir plus, découvrez son site : www.lebaron-rouge.com

Achevé d'imprimer en France en avril 2005
par Brodard et Taupin
Dépôt légal : avril 2005
N° d'édition : 4186
N° d'impression : 29470